Greenpeace in actie

De SIRIUS ontsnapt!

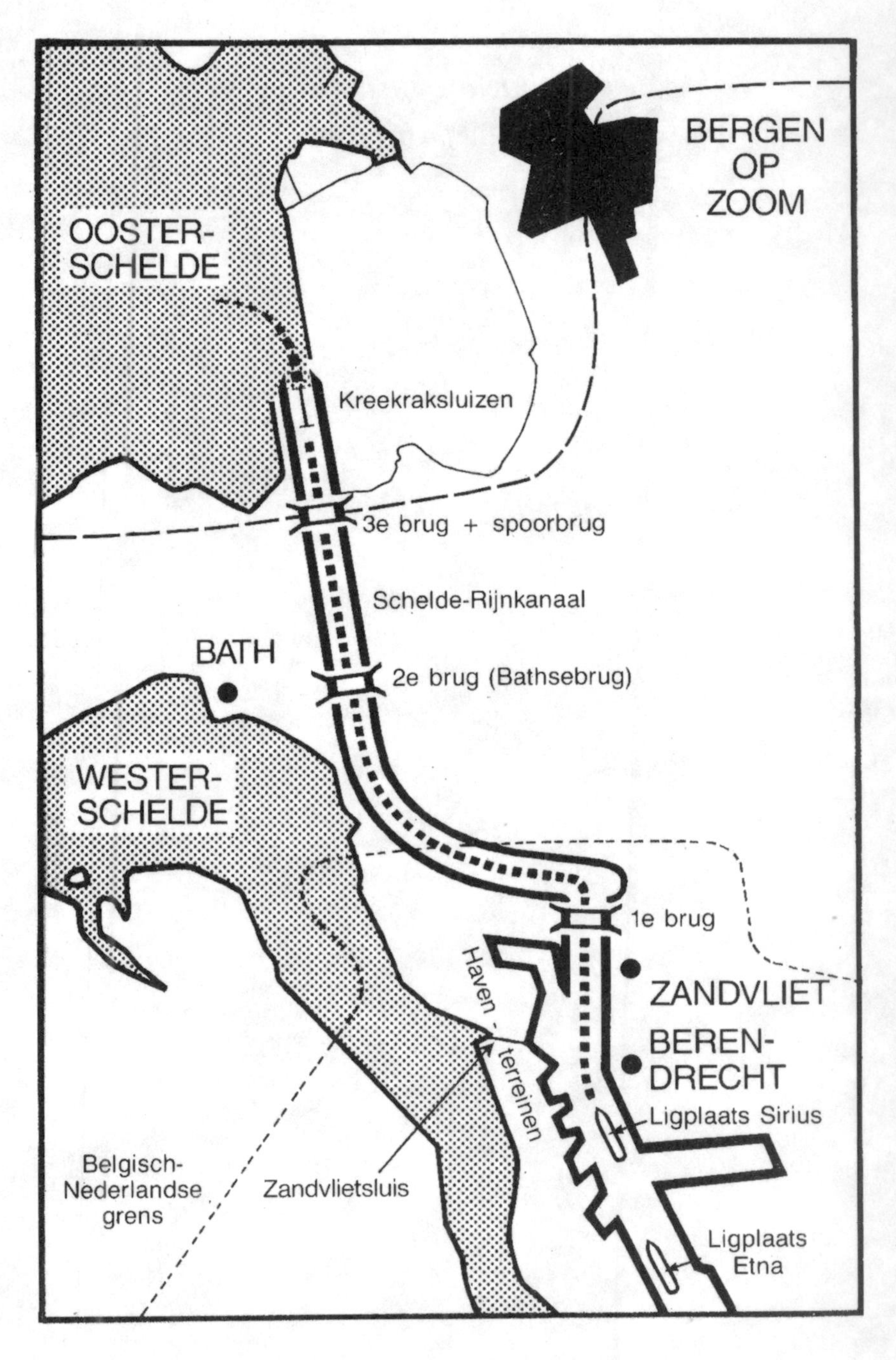

Plattegrond van de ontsnappingsroute van de Sirius

Greenpeace in actie

De SIRIUS ontsnapt!

ROB ZADEL

5e druk

KLUITMAN

GREENPEACE IN ACTIE

De Sirius ontsnapt

De Rainbow Warrior valt aan

De Solo grijpt in

Omslagontwerp: Design Team Kluitman.
Dit boek is gedrukt op chloorvrij gebleekt papier.

Nugi 221

Omslag en illustraties: Jan Egas/Art Connection
Plattegrond ontsnappingsroute Sirius: Cees van den Enden
Geproduceerd onder licentie van STICHTING GREENPEACE NEDERLAND

HOOFDSTUK 1

Een bezoek aan de Sirius

„Kees Verhoog, let nu eens op," roept meneer Van Hulzen, de biologieleraar, kwaad. „Het is ook altijd hetzelfde met jou. Je bent op school om te leren en niet om naar buiten te kijken. Wat moet er van jou terechtkomen?"

„Hé," fluistert Roy in Kees' oor, „pas op; straks moet je na de les terugkomen en dan kun je niet mee naar de Sirius."

„Ik kijk helemaal niet naar buiten," zegt Kees zachtjes en hij wijst op Maarten, die achter in de klas zit. „Moet je kijken, hij heeft zijn super-de-luxe sportschoenen weer eens aan." De lange staken van Maarten steken ver onder zijn tafeltje vandaan, zodat iedereen zijn schoenen goed kan zien.

„De opschepper," bromt Roy.

Maarten kijkt in hun richting. Straks na schooltijd zullen ze met z'n drieën naar het actieschip Sirius van Greenpeace gaan. Een broer van Maarten werkt bij Greenpeace en heeft dit voor hen geregeld.

Meneer Van Hulzen heeft het nog steeds over de natuur. „Daar moeten we zuinig op zijn," zegt hij. „Wij moeten met z'n allen de natuur beschermen, dat is hard nodig. De broer van Maarten werkt bij Greenpeace; dat is een milieuorganisatie. De mensen van Greenpeace vechten voor een schoner milieu."

Maarten glundert van trots. Zo, dat heeft Van Hulzen weer eens mooi gezegd. Hij kijkt stiekem naar Suzan. Als zij het nu ook maar heeft gehoord.

De leraar vertelt nog meer over Greenpeace. Hij zegt dat Greenpeace weliswaar 'vecht' voor een schonere wereld, maar dat dat altijd geweldloos gebeurt. „Weten jullie wat voor acties Greenpeace allemaal voert?"

Maarten steekt traag zijn vinger op, maar Kees is hem voor. Hij zal eens laten zien dat hij niet zit te dromen! „Greenpeace is er tegen dat er vuil in zee wordt gekieperd. De actievoerders varen met een bootje bij zo'n dumpschip om te protesteren," weet hij.

„Ja, en ze beschermen ook de walvissen en de zeehonden," schreeuwt Maarten er enthousiast doorheen. Meteen kijkt hij naar Suzan, maar zij heeft geen aandacht voor hem. Ze is aan het schrijven.

Eindelijk gaat de schoolbel. Kees en Roy staan al vlug buiten te wachten op Maarten. Die is niet zo snel.

„Hé, Maarten," roept Roy, „schiet eens een beetje op. We willen het schip gaan bekijken."

Daar komt Maarten aan, samen met Suzan.

Suzan heeft een kladblok bij zich. „Ik ga ook mee," zegt ze tegen Roy en Kees, „want ik maak een werkstuk over Greenpeace."

„Oh ja, dat is waar ook," herinnert Roy zich. „Eind volgende week moeten we een werkstuk inleveren. Waarover doe jij het, Kees?"

Kees schudt zijn hoofd en zegt ongeduldig: „Ach, joh, dat duurt nog zo'n tijd. Laten we nou maar opschieten, ik wil naar de Sirius."

Voor het schoolplein is een blauwe bestelbus gestopt. Op de zijkant van de bus staat 'Greenpeace' en ook is er een veelkleurige regenboog op geschilderd. Het is een prachtige tekening.

„Daar is Siebe, mijn broer," zegt Maarten. „Hij brengt ons naar de Sirius."

Siebe schuift de deuren open en maakt met een grijns een buiging voor hen. „Mag ik de Greenpeace-bemanning vriendelijk verzoeken in te stappen," lacht hij.

Kees, Roy en Suzan gaan op de achterbank zitten, want Maarten heeft zich al voorin genesteld, naast zijn broer.

Inmiddels is de bestelbus omringd door nieuwsgierige scholieren.

Zullen die nu denken dat zij bij Greenpeace horen?

Langzaam zet de bus zich in beweging en Suzan ziet nog net hoe haar vriendin schouderophalend naar haar fiets slentert.

Al snel komen ze in de buurt van de Amsterdamse haven. Overal staan grote pakhuizen en hoge hijskranen. Er rijdt ook een trein, zomaar over de weg.

„Wat gek dat er geen slagbomen zijn,” zegt Roy.

„Die hebben we niet nodig, hoor,” legt Siebe uit. „Er wonen toch geen mensen en de mensen die hier werken, letten wel op.”

„De trein rijdt ook niet zo hard,” voegt Maarten eraan toe. Hij doet net alsof hij

Kees kijkt met g

Wat zou hij graag

daar heeft hij een

kapitein van een s

„Hé, joh, stap e

een por. „Zit je w

Hij wijst naar het

De boot is groe

groot ’Greenpeac

geschilderd, even

Achter op het dek

„Met die kraan

legt Siebe uit.

Nu zien ze ook

Sirius is inderdaa

Maarten loopt o

een beetje de weg

„Hoi, Siebe,” z

„Heb je weer eens

ten ook.”

„Dag, Ed,” groe

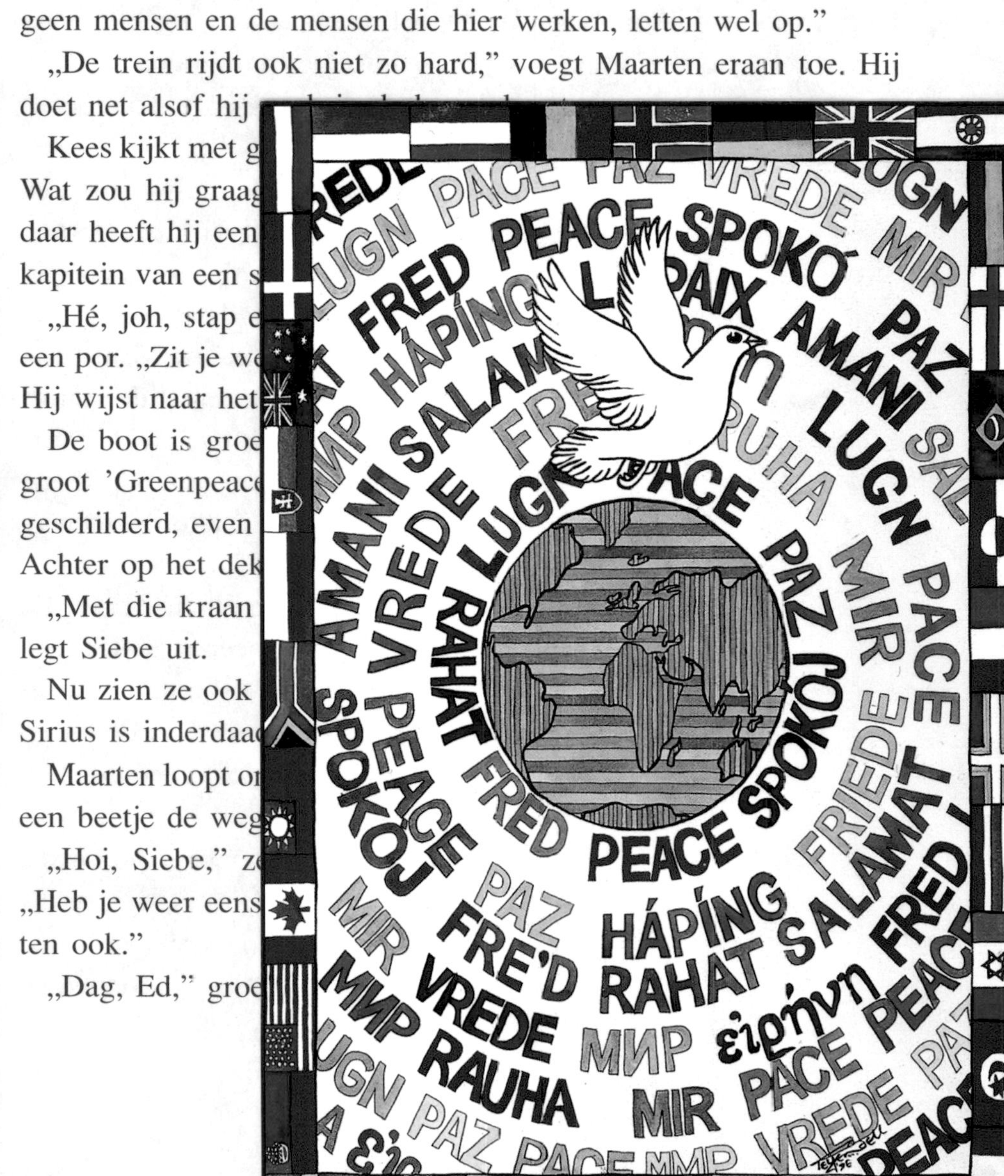

„Ed is kapitein op de Sirius," vertelt Siebe aan Suzan, die ijverig aantekeningen maakt voor haar werkstuk.

„Kapitein op de Sirius, dat wil ik later ook worden!" roepen Kees en Roy tegelijk.

„Welkom aan boord, jongelui," zegt Ed. „Vertel eens hoe jullie heten."

„Nou, dit is Suzan," zegt Maarten, „en dit is Roy en dit is..."

Kees is niet meer te houden. „Dit schip is wel honderd meter lang," verzint hij enthousiast, „en het vaart wel vijftig kilometer per uur. En hebben jullie ook een radiokamer aan boord?"

„Ach, man, je moet 'hut' zeggen in plaats van 'kamer'," verbetert Roy hem.

„Ja, daar heeft Roy gelijk in," zegt kapitein Ed, „en we drukken de snelheid van een schip altijd uit in knopen. De Sirius kan dertien knopen per uur varen, dat is ongeveer vijfentwintig kilometer."

„Tjonge," zegt Kees, „dat wist ik niet."

„Je zult vanmiddag heel wat te weten komen, Kees. Maar gaan jullie nu eerst maar eens mee naar de messroom, dat is de ruimte waar de bemanning altijd eet. Dan kunnen jullie daar een mok koffie krijgen. Goed?" vraagt de kapitein.

Natuurlijk hebben ze daar wel zin in en met z'n allen volgen ze de kapitein.

Als ze achter de grote koppen dampende koffie zitten, vertelt Ed verder over de Sirius: „Dit schip is bijna zesenveertig meter lang en dik acht meter breed. Vroeger was dit een loodsboot. De Sirius is in 1950 gebouwd en heeft dertig jaar dienst gedaan in de haven van Rotterdam. Greenpeace heeft deze boot in 1981 voor 200.000 gulden gekocht."

„Tjonge, dat is veel geld," zegt Suzan. „Hoe hebben jullie dat bij elkaar gekregen?"

„Nou, je weet misschien wel dat veel mensen het eens zijn met onze acties en die mensen hebben allemaal geld gegeven. Zo konden we de Sirius kopen. Maar voor het opknappen van het schip hadden we toen geen geld meer over en daarom hebben vrijwilligers dat gedaan," vertelt Ed.

„En hebben jullie toen meteen actie gevoerd?" wil Suzan weten.

„Ja, toen de Sirius helemaal klaar was, zijn we naar de Atlantische Oceaan vertrokken voor een actie tegen het dumpen van radioactief afval."

„Maar kunnen we nu de rest van het schip zien?" vraagt Kees.

Ook Roy vindt dat de les wel lang genoeg heeft geduurd.

„Neem jij ze maar mee," zegt Ed tegen Siebe. „We praten een andere keer nog wel eens verder over onze acties."

Samen met Siebe gaan ze eerst naar boven, naar de stuurhut.

Maarten voelt zich daar onmiddellijk thuis, gaat direct achter het stuurwiel staan en tuurt naar buiten. „Ahoy, Roy, kijk jij eens op het radarscherm of wij nog op koers liggen."

Roy kijkt op het scherm, maar ziet niets.

„Klim dan even in de mast," zegt Maarten.

Maar dat mag niet van Siebe. De mast is hoog en als je naar beneden valt, kun je heel wat botten breken.

„Kom, ik zal jullie de radiohut laten zien," stelt Siebe voor. De radiohut staat vol met allerlei zendapparatuur, daar is de stereotoren thuis niets bij.

Kees staat met open mond te kijken. Thuis heeft hij wel eens samen met zijn vader een radio in elkaar geknutseld, maar wat hij hier ziet, is een complete studio. Terwijl de anderen de machinekamer gaan bekijken, blijft Kees bij de radiospullen achter.

Marco, een bemanningslid van de Sirius, legt hem uit hoe de radio werkt. Met een koptelefoon op zijn oren seint Kees even later S.O.S.-signalen uit. 'Save our souls', red onze zielen, dat is een signaal van een schip in nood. Als het aan Kees zou liggen, dan bleef hij voorgoed op de Sirius!

Ondertussen staan Roy, Maarten, Suzan en Siebe in de machinekamer. Er loopt een vrouw bedrijvig rond. Ze draagt een indrukwekkende, lichtgrijze overall met ook daarop weer 'Greenpeace'.

„Hé, Mieke," schreeuwt Siebe boven het lawaai van de motoren uit, „ik heb hier twee bezoekers."

Mieke komt naar hen toe en geeft hun een hand. „Welkom in de herrie, jongens."

Suzan kijkt haar ogen uit en vergeet helemaal te schrijven. Wat knap dat die vrouw zoveel van machines weet.

Mieke vertelt wat over de motoren van de Sirius. „Kijk," zegt ze en ze wijst naar het midden van de ruimte, „dat zijn de zuigers van de hoofdmotor. Als die heen en weer gaan, wordt de as waaraan de schroef vastzit, aangedreven."

„Maar hoe weet u nou welke kant de Sirius op moet? U ziet hier toch niets?" vraagt Roy verwonderd.

„Ach, man, daar is de stuurhut voor," roept Maarten. „Daar zien ze hoe ze moeten varen en dat geven ze dan door aan Mieke. Dat gaat via een intercom."

Roy houdt zijn mond maar dicht bij zoveel vertoon van kennis. Wat weet die Maarten toch al veel over de Sirius.

Maarten kijkt naar Suzan, maar die heeft door het gedender van de machines geen woord gehoord. Ze staat in een hoekje met Siebe te praten en dat kan Maarten weer niet verstaan. Maarten pakt Roy bij de schouder en trekt hem mee. „Kom op, we gaan terug naar boven," gebiedt hij.

Even later zitten ze allemaal weer bij elkaar in de messroom.

„Ik zal jullie eens wat vertellen," zegt Siebe met een ernstig gezicht. „Maar jullie moeten beloven dat jullie het tegen niemand zullen zeggen."

Met grote ogen kijken Roy, Maarten en Kees elkaar aan. Wat zou Siebe te vertellen hebben? Suzan pakt snel haar kladblok.

„Binnenkort gaan we weer actie voeren," vertelt Siebe. „We weten dat er een bedrijf is dat illegaal afval in zee dumpt. Dat gebeurt voor de kust van Hoek van Holland. Laatst kregen we een telefoontje van een man die bij het bedrijf heeft gewerkt. Hij vertelde dat het bedrijf af en toe een schip huurt, dat 's avonds uitvaart. Als het donker is, gooien ze zo vlug mogelijk allemaal vaten met zeer giftig afval overboord. Dat is ontzettend slecht voor het milieu en daarom gaan wij er wat aan doen."

„Wat gaan jullie dan doen?" vraagt Roy.

„We varen er met de Sirius heen en dan proberen we te verhinderen dat ze die vaten in zee gooien," legt Siebe uit.

„Oh, jullie gaan dan zeker met de rubberboten om dat dumpschip heen varen," weet Kees.

„Ja," zegt Siebe, „als wij met een rubberboot naast die boot dobberen, kunnen zij die vaten met afval natuurlijk niet overboord zetten. Dat zou veel te gevaarlijk zijn. Bovendien denk ik dat ze maken dat ze wegkomen, want wat ze doen, mag helemaal niet."

„Daar moet je foto's van maken," zegt Suzan, „en je moet er een artikel over schrijven, dat in de krant komt. Dan hoort iedereen ervan."

Maarten kijkt bewonderend naar Suzan. Dat heeft ze goed gezegd!

Maar Roy kijkt bedenkelijk. „Hoe kun je nou foto's maken als het donker is?"

„Dat kan best," zegt Siebe. „We hebben grote lampen aan boord en bovendien kun je ook fotograferen met een nachtfilm."

„Een actie wordt altijd heel goed voorbereid," weet Maarten.

„We bedenken van tevoren goed wat we willen en hoe we dat dan kunnen bereiken," vertelt Siebe. „Heel erg belangrijk is ook dat niemand weet dat we actie gaan voeren."

Roy, Maarten, Suzan en Kees kijken elkaar aan. Nu moeten zij dus hun mond houden over de actie, anders verpesten ze alles.

„Hoe heet dat bedrijf van dat afval?" wil Suzan weten.

Siebe zegt: „De naam van het bedrijf is O.S.N. Maar denk eraan, mondje dicht, want anders kunnen we de actie wel op onze buik schrijven en dat is niet de bedoeling."

„Nee," zegt Suzan, „dat snap ik." Ze pakt haar pen en noteert een en ander op haar kladblok.

Dan is het tijd om naar huis te gaan. De middag op de Sirius is omgevlogen en met verhitte hoofden nemen ze afscheid van de kapitein en zijn bemanning.

Roy snelt de loopplank af, maar Maarten treuzelt een beetje.

„Schiet nou eens op, man," maant Kees, „op zulke schoenen kun je toch wel wat harder lopen?"

Maarten antwoordt niet. Hij vraagt zich af wat Suzan nu weer met Siebe te bespreken heeft. Zou hij haar misschien nog meer over de aanstaande actie vertellen? In gedachten verzonken kijkt Maarten uit over de kade.

Kees volgt zijn blik. „Nee, jongen, schoenen is tot daar aan toe, maar zo'n mooie sportwagen als daar staat, kan je moeder echt niet voor je kopen."

„Hè?" zegt Maarten. Hij snapt niet waarover Kees het heeft.

Roy gaat in de Greenpeace-bus gauw voorin zitten, naast Siebe. Mopperend neemt Maarten plaats op de achterbank. Nu zijn ook Kees, Roy en Suzan op de Sirius geweest en horen ze alle vier bij Greenpeace.

S.O.S., save our souls, mijmert Kees, terwijl de bestelbus de haven verlaat.

HOOFDSTUK 2

De Greenpeace-club wordt opgericht

De volgende ochtend staan Roy en Kees al vroeg op het schoolplein na te praten over het spannende bezoek aan de Sirius.

„Begrijp jij dat nu, Kees?" vraagt Roy. „Dat er mensen zijn, die zwaar giftig afval zomaar in zee gooien, terwijl het toch zo gevaarlijk is voor het milieu, voor de vissen en de zeehonden. En eigenlijk ook voor ons. Straks kunnen wij ook niet meer zwemmen in de Noordzee, omdat die veel te smerig is geworden."

Het is even stil en de vrienden denken diep na.

„Eigenlijk zouden we Greenpeace moeten helpen met hun acties tegen het dumpen van afval," merkt Kees op.

„Maar hoe dan?" vraagt Roy.

Weer is het stil. Het schoolplein ligt er nog verlaten bij, maar op straat is het al een drukte van belang. Zware vrachtwagens rijden af en aan om de winkels te bevoorraden.

„Wat staan jullie moeilijk te kijken?" roepen Maarten en Suzan.

Kees en Roy kijken verschrikt op.

„Hé, we hebben jullie niet eens horen aankomen," zegt Roy. „Maar nu jullie er ook zijn, kunnen jullie met ons meedenken. Kees wil Greenpeace helpen met hun acties en ik vind dat een prima idee. De vraag is alleen: hoe kunnen wij Greenpeace helpen?" vraagt Roy.

Nu kijken ze alle vier peinzend in de verte.

Maarten denkt aan zijn broer, die nu op de Sirius bezig is met het onderhoud aan de hijskraan. De kraan, die ze gisteren even hebben gezien, kan een gewicht van meer dan vijfduizend kilo dragen, maar hoe kan hij daar nu bij helpen? Hij kan niet eens een moer van een bout onderscheiden.

Suzan pakt uit haar schooltas de aantekeningen die ze heeft

gemaakt tijdens het bezoek aan de Sirius. Onder aan blad drie ziet ze haar krabbels over de actie van Greenpeace tegen het bedrijf O.S.N. Wat kan zij, behalve haar Greenpeace-werkstuk, nog meer voor Greenpeace doen?

Kees droomt over de radioapparatuur aan boord van de Sirius. Ook heeft hij Marco horen vertellen over de satellietverbinding van de Sirius. Kees zou willen dat hij via zijn radio met de Sirius in verbinding kon staan. Dan zou hij van dag tot dag weten waar de Sirius was en wat ze deed. Maar ja, wat dan?

En Roy? Roy denkt aan kapitein Ed, aan de machiniste en de andere bemanningsleden.

De schoolbel maakt een einde aan alle overpeinzingen.

Op school lijkt de dag wel een eeuwigheid te duren. De lessen zijn nog saaier dan anders en zelfs tijdens de gymles kunnen Roy, Kees en Maarten hun aandacht er niet bij houden.

Eindelijk is het drie uur en staan ze weer op het schoolplein.

Suzan zegt: „Maarten, jouw broer werkt bij Greenpeace. Die zal toch wel weten wat we kunnen doen?" Ze kijkt Maarten hoopvol aan.

„Misschien weet Siebe wel wat," antwoordt Maarten, „maar hij is op de Sirius en komt de eerste weken niet thuis."

„Ja, hoor eens, zo komen we er natuurlijk niet," merkt Kees ongeduldig op. „We moeten zelf met ideeën komen."

„Dat vind ik ook," zegt Roy. „Heb jij een idee?"

„Nog niet echt," antwoordt Kees, „maar ik weet wel wat ik wil."

„En wat is dat dan?" vraagt Roy.

„Nou," zegt Kees, „ik wil dagelijks contact hebben met de Sirius, zodat ik weet wat ze aan het doen zijn. Dat zou kunnen met radioapparatuur."

„Slim, hoor," bromt Maarten, „je hebt niet eens zendapparatuur en je hebt ook geen geld om zoiets te kopen."

„Maar ìk heb met Siebe afgesproken dat hij mij regelmatig belt over hoe het allemaal gaat," merkt Suzan op. „Zo blijf ik op de hoogte en krijg ik informatie voor mijn werkstuk."

Met stomme verbazing kijken Kees, Roy en Maarten naar haar.

Die meid heeft het toch maar weer mooi geregeld, denkt Maarten. Dus daar zat ze de hele tijd met Siebe over te smoezen! Mooie boel is dat: hij weet nergens van en zijn broer papt aan met zijn vriendin. Nou ja, vriendin... Zover is het eigenlijk nog niet.

„Goed gedaan, Suzan," prijst Roy. „Je brengt me op een idee."

„En dat is?" vragen de anderen nieuwsgierig.

„Dat is..." zegt Roy zachtjes en geheimzinning, „heel eenvoudig! Kijk," vervolgt hij, „we hebben geen geld voor een zendapparaat, maar Suzan heeft afgesproken dat Siebe haar op de hoogte houdt. Ze heeft ook al heel veel aantekeningen gemaakt voor haar werkstuk. Nou, gisteren hebben we gehoord dat Greenpeace voor haar acties veel publiciteit nodig heeft. Ze willen de mensen aan de wal laten zien wat er ver weg op zee gebeurt. En wat kunnen wij dus doen?"

„Man, schiet nou eens op met je verhaal," roept Maarten ongeduldig. „Dat weten we toch al allemaal."

„Ik denk dat Kees begrijpt wat ik bedoel," zegt Roy kalm.

„Inderdaad," zegt Kees. „Wij moeten er gewoon voor zorgen dat heel veel mensen bij ons in de buurt te weten komen wat Greenpeace doet en waarom. Om te beginnen kunnen we een eigen krant maken, een soort reisverslag van de Sirius. We hebben toch dat werkstuk van Suzan."

„En die krant moeten we dan onder een breed publiek verspreiden," vult Roy aan.

„Ja, hallo, hoe wil je dat doen?" roept Maarten.

„Heel eenvoudig," vervolgt Roy. „We maken van Suzans werkstuk een krant. Die krant gaan we huis-aan-huis bezorgen, zodat meer mensen te weten komen wat Greenpeace doet."

Nu gaat ook bij Maarten een lampje branden: „Oh, natuurlijk. Als veel mensen weten dat de natuur wordt vergiftigd door afvalstoffen, dan gaan ze er misschien iets tegen doen. Dan gaan ze vast ook wel protesteren bij de regering."

„Ja," zegt Suzan, „en de regering kan dan maatregelen nemen om de natuur te beschermen."

„Juist, ja," zegt Maarten, „dat is een heel goed idee. Dus eigenlijk moeten we een Greenpeace-club oprichten met z'n vieren."

„Hoe kom je erop, Maarten?" roepen Kees en Roy in koor.

„Nou," glundert Maarten, „eigenlijk is Suzan met het plan gekomen. Dus is het haar idee."

„Weet je wat," zegt Roy, „het is een idee van ons allemaal, laten we het daarop houden."

En zo wordt op het schoolplein de Greenpeace-club opgericht.

De vier leden zijn eventjes door het dolle heen. Iedereen praat tegelijk en het is een lawaai van jewelste.

„Weet je," zegt Maarten als de gemoederen weer wat zijn bedaard, „we moeten ook een clubhuis hebben. Greenpeace zelf heeft een kantoor waar de acties worden bedacht en besproken. Wij moeten dus ook een soort kantoor hebben."

De anderen zijn het hiermee eens. Maar hoe kom je nu aan een kantoor of een clubhuis? Bij een van hen thuis is natuurlijk niet spannend genoeg. Nee, het moet een clubhuis zijn, dat past bij de Greenpeace-club. Een clubhuis waar niemand hen kan storen. Misschien weet iemand wel een leegstaande schuur of zo.

„Hé, daar komen Wim en Erik aan," zegt Suzan. „Misschien weten zij wel een goed clubhuis voor ons."

„Wacht nou eens even," roept Roy gewichtig. „De Greenpeace-club bestaat nog maar net en nu wil je Wim en Erik al bij onze zaken betrekken. Je weet toch dat Siebe heeft gezegd dat we onze mond moeten houden over de aanstaande actie?"

„Dat is waar," beaamt Kees. „Maar we kunnen Wim en Erik toch wel vragen of ze bijvoorbeeld een clubhuis weten voor, laten we zeggen, onze visclub?"

„Hè, bah, een visclub," roept Suzan vol walging uit.

„Nou ja," zegt Kees, „het is maar bij wijze van spreken."

Inmiddels zijn Wim en Erik bij hen gaan staan.

„Hallo, jongelui," zegt Wim plechtig. „Jullie vinden het toch niet erg, hoop ik, dat Erik en ik even met jullie van gedachten wisselen?"

„Nee, helemaal niet," antwoordt Roy, „integendeel, we willen jullie net iets vragen. Wij zoeken namelijk een clubhuis voor onze visclub. Weten jullie toevallig iets?"

„Een clubhuis voor jullie visclub?" roept Erik verbaasd. „Nee, daar kunnen we jullie niet aan helpen, maar ik geloof dat Wim nog een oude woonboot in de aanbieding heeft."

„Een oude woonboot?" roepen Suzan, Kees, Roy en Maarten in koor.

„Ja, een oude woonboot," herhaalt Erik. „Maar die willen Wim en ik gebruiken als clubhuis voor de Greenpeace-club!"

„De... de... de Greenpeace-club?" stamelen de anderen.

„Ja, de Greenpeace-club," bevestigt Wim. „Ach, laten we er maar geen doekjes om winden. De hele dag doen jullie al geheimzinnig over de Sirius en allerlei acties. Gisteren heb ik jullie notabene zelf zien vertrekken in zo'n busje van Greenpeace."

„En," zo vervolgt Erik, „jullie moeten het ons maar niet kwalijk nemen dat we jullie gesprekken voor het grootste gedeelte hebben kunnen horen. Net ook weer. Staan jullie daar keihard te schreeuwen over de Greenpeace-club. Je denkt toch niet dat we doof zijn of zoiets?"

Verbluft kijken de vier kersverse leden van de Greenpeace-club elkaar aan.

Maarten denkt onmiddellijk aan de waarschuwing van zijn broer. Als ze nu maar niets opgevangen hebben over de aanstaande actie tegen O.S.N., want dan hoeft hij zijn broer voorlopig niet meer onder ogen te komen. Sterker nog, dan zou de hele actie wel eens in gevaar kunnen komen. Nu mogen ook Erik en Wim niets verder vertellen.

Alsof hij gedachten kan lezen, zegt Erik: „Wij zijn de enigen die iets hebben gehoord, hoor. We zullen ook niks verder vertellen, maar we willen wel lid worden van de Greenpeace-club."

„Juist, ja," zegt Kees, „en wat hebben jullie ons dan te bieden?"

Wim heeft zijn antwoord al klaar: „De oude woonboot die achter de boerderij van mijn ouders ligt!"

„Een woonboot als clubhuis lijkt me gaaf," zucht Suzan en Maarten is het met haar eens.

Kees zegt: „Dan wordt die boot ons clubhuis."

„En mag ik Wim en Erik van harte welkom heten als lid van de Greenpeace-club," zegt Roy plechtig.

En zo heeft de Greenpeace-club dan al zes leden èn een clubhuis!

Maar niemand vermoedt dat Erik en Wim niet de enigen zijn, die de plannen van het viertal hebben gehoord.

Niet ver van de plaats van samenzwering staat al geruime tijd een mooie, open sportwagen. Daarin zit een lange, magere man met een donkere regenjas aan. Hij heeft een zwarte hoed op. Deze man is ook zeer geïnteresseerd in de plannen van de Greenpeace-club. Maar niet om Greenpeace te helpen. Nee, de man in de sportauto heeft heel andere plannen...

HOOFDSTUK 3

Het clubhuis

Het is vier uur in de middag als Roy voorstelt een bezoekje aan hun nieuwe clubhuis te brengen. Aangezien Wim zo'n zes kilometer van school woont, besluiten ze met de fiets te gaan.

„Kom op, we gaan nu meteen," spoort Roy zijn vrienden aan.

En zo rijden de zes Greenpeace-clubleden op hun fietsen zo hard mogelijk naar de boerderij van Wims ouders. Op weg naar de woonboot, hun woonboot.

In alle haast merken ze niet dat ze door een sportwagen worden gevolgd. De zwarte hoed van de man achter het stuur is diep over zijn ogen getrokken, zodat de wind er geen vat op kan krijgen. Of wil de man niet dat men zijn gezicht ziet?

Na een kwartier fietsen, roept Wim enthousiast: „Boerderij in zicht!"

Via een kronkelig pad met aan weerskanten oude knotwilgen en elzestruiken, bereiken de zes de oude boerderij. Een herdershond komt hen kwispelend tegemoet en springt vrolijk blaffend tegen Wim op.

„Hoi, Boy," roept Wim, terwijl hij zijn hond over de rug aait. „Goed volk, hoor, koest maar."

Boy ruikt nieuwsgierig aan de kleren van de anderen. In Erik is hij minder geïnteresseerd, want die is wel vaker op de boerderij. Speels bijt Boy in de sportschoenen van Maarten.

Dat vindt Maarten natuurlijk niet leuk. „Af, Boy, af," bromt hij.

Dat betekent voor Boy dat Maarten met hem wil spelen. Wim bevrijdt hem uit zijn benarde positie.

„Arme Maarten," zegt Suzan lachend. „Wil je mijn zakdoek lenen om je schoenen schoon te maken?"

„Nee, dat hoeft niet," zegt Maarten en hij kijkt stuurs de andere kant op.

Dan verschijnt de moeder van Wim in de deuropening.

„Dag, ma," roept Wim nonchalant. „Ik heb de Greenpeace-clubleden meegebracht om ze de oude woonboot te laten zien. Dat wordt namelijk ons clubhuis."

„Dag, jongens," zegt Wims moeder.

„Dag, mevrouw," zegt Suzan onmiddellijk. „Ik ben Suzan."

„Dag, jongens en Suzan," herhaalt Wims moeder onverstoorbaar. „Welkom op de boerderij. Ik begrijp alleen niet waar Wim het over heeft, maar dat hoor ik straks wel van je, hè, Wim? Ik heb nu geen tijd, want ik ben aan het werk. En Wim, denk eraan, vandaag is het jouw beurt om aardappelen te schillen!"

„Ja, ma," antwoordt Wim en hij geeft de anderen een knipoog.

„Moet jij aardappelen schillen?" vraagt Erik verbaasd. „Dat is toch meidenwerk?"

„Nou, ik schrijf liever aan mijn werkstuk dan dat ik aardappelen schil," reageert Suzan.

„Hou nou eens op met dat gezeur," zegt Kees ongeduldig. „Laten we nu eindelijk de boot eens bekijken."

„Ja, waar ligt die eigenlijk?" vraagt Maarten.

„Achter de boerderij," zegt Wim. „Daar, achter die grote kastanjeboom zie je de rivier al glinsteren."

„Nou, nou, rivier..." sputtert Roy, „het is meer een brede sloot!"

„En die sloot komt weer uit op de Vinkeveense Plassen," vult Wim aan.

Bij de sloot aangekomen, zien ze de woonboot in al zijn glorie.

„En dat noem je een oude woonboot?" vraagt Kees opgetogen.

„Vroeger hebben we er een tijdje op gewoond," antwoordt Wim. „Toen werd de boerderij namelijk verbouwd, maar nu doen we niets meer met de boot. Dus daarom kunnen wij hem wel gebruiken als clubhuis."

De woonboot is groen geschilderd, heeft witte raamkozijnen en een witte deur. Boven de deur staat op een ronde boog in sierlijke

„En dat noem je een oude woonboot?" vraagt Kees opgetogen. *(blz. 20)*

letters 'Rusteloos' geschreven.

„Die naam is natuurlijk niks," zegt Maarten. „Daar moeten we 'Greenpeace' van maken."

„Ja, dat vind ik ook," merkt Suzan op. „Maar de kleuren groen en wit zijn goed. Wit is de kleur van de vrede en groen is de kleur van de natuur: Groene Vrede oftewel Greenpeace."

De jongens kijken met bewondering naar Suzan. Dat ze daar nu niet zèlf aan hebben gedacht.

Over de loopplank sjouwen ze in ganzepas de boot op. Binnenin zien ze een smal gangetje met aan het eind een piepkleine keuken.

„Moest je hier ook altijd aardappelen schillen, Wim?" vraagt Erik met een grijns.

Wim reageert niet. „Kijk, jongens," zegt hij, „en Suzan, dit was in die tijd de slaapkamer van mij en mijn broers." Met een weids gebaar heeft hij de deur geopend en een kleine kamer is zichtbaar geworden. Aan de muur hangt een levensgrote poster van Bruce Lee.

Ze schuifelen weer verder.

De volgende deur opent Wim niet, hij zegt alleen: „De slaapkamer van mijn ouders."

En dan breekt er een belangrijk moment aan: ze komen in een kamer met houten banken en een grote tafel. Iedereen begint opgewonden te praten, want ze zien allemaal dat dit een prima vergaderruimte is.

Roy kijkt goedkeurend rond en besluit: „Hier gaan we vanaf nu vergaderen." Hij ziet zichzelf al met een voorzittershamer op de tafel slaan. Hij vindt dat ze hem maar tot voorzitter moeten benoemen, tenslotte had hij als eerste het idee voor de Greenpeaceclub. Roy krijgt het er warm van als hij eraan denkt dat hij misschien voorzitter zal zijn; wat zal zijn vader daarvan zeggen? Hij zal best trots op zijn zoon zijn en hij zal zeggen: de appel valt niet ver van de boom. Roy's vader is immers zelf ook voorzitter, maar dan van de biljartclub.

Suzan heeft inmiddels haar aantekeningen voor de dag gehaald. „Zo, die laat ik nu maar hier, dan hoef ik er ook niet meer mee te sjouwen." Het is een flink pak papier geworden en Suzan legt het in een kastje naast de deur.

„Wat is het hier vreselijk warm," puft Erik.

„Oh, ik dacht dat dat aan mij lag," zegt Roy.

„Helemaal niet," zegt Wim. „Buiten is het ook hartstikke heet. Ik denk dat we onweer krijgen. Kijk, de koeien staan in een hoek van het weiland, net alsof ze nu al willen schuilen voor de regen."

„Dan ga ik snel naar huis, want van een regenbui baal ik altijd stevig," meldt Kees.

„Ja, ik ook," zegt Suzan, „en fietsen als het onweert, vind ik eng."

Dat vinden de anderen eigenlijk ook, maar ze zeggen het niet.

Vlug gaan ze terug naar de boerderij. Daar pakken ze hun fietsen en groeten Wims moeder.

„Dag, mevrouw," roept Suzan vriendelijk.

„Dag, Suzan," zegt Wims moeder. „Dag, jongens."

En daar gaan ze dan weer, nu met z'n vijven. Ze rijden terug naar de stad en Wim kijkt hen na, zijn handen diep in zijn zakken gestoken. Boy houdt de wacht.

Erik en Roy fietsen voorop. Ze zijn druk in gesprek en zien daardoor niet dat aan het einde van het bochtige pad een auto staat geparkeerd.

„Kijk uit!" roept Maarten nog, maar het is al te laat. De twee jongens duikelen met fiets en al over de motorkap van de auto.

Onmiddellijk komt er een man met een zwarte hoed vanachter de elzestruiken tevoorschijn. „Kunnen jullie niet uitkijken, uilskuikens?" snauwt hij en hij geeft Erik een flinke klap om zijn oren.

„Au," kreunt Erik en hij grijpt naar zijn linkeroor. „Dat doet pijn."

„Dat is ook de bedoeling, ventje," bijt de man hem toe. „Je mot uitkijken as je fietst. Gesnopen?"

Roy, Maarten, Kees en Suzan gaan om Erik heen staan om hem te beschermen.

Suzan zegt: „Wilt u zo vriendelijk zijn uw handen thuis te houden, meneer?"

„Of ik zo vriendelijk wil zijn, meissie?" zegt de man spottend. „Nou, nee hoor, zo vriendelijk ben ik niet." Dreigend zwaait hij met zijn armen in de lucht.

Roy, Maarten en Kees houden hem goed in de gaten, want als hij Suzan kwaad wil doen, zullen ze haar moeten helpen.

Gelukkig stapt de man in zijn auto. Hij draait zich om en schreeuwt de Greenpeace-clubleden toe: „As jullie je neus in andermans zaken steken, zal dat jullie berouwen. Jullie spelen gevaarlijk spel, weet je." En tegen Erik snauwt hij: „Het beste met je oor, mannetje!" Vol gas spuit de wagen weg, de vijf hevig verschrikt achterlatend.

„Wat een rotvent," zegt Suzan.

Erik knikt en wrijft over zijn oor.

Ook Roy staat een beetje sip te kijken, want door het ongeluk is zijn broek kapotgegaan.

„Waarom zou die man zo raar doen?" vraagt Kees.

Ze halen hun schouders op.

Tot overmaat van ramp horen ze nu in de verte ook nog een rollende donder.

„Kom op," zeggen Kees en Roy tegelijk, „we moeten naar huis. Straks zitten we midden in het onweer."

Snel rijden ze richting stad en daar aangekomen, gaat ieder zijn eigen weg.

Het voorval met de boze man verpest bij iedereen de stemming. De vreugde over de oprichting van de Greenpeace-club wordt overschaduwd door de man met de zwarte hoed. Wat bedoelde hij nou toch met zijn opmerking dat ze hun neus in andermans zaken steken?

Het is later op de avond. Het onweer is in alle hevigheid losgebarsten, de regen gutst neer en stormvlagen doen de takken van de bomen heftig zwiepen. De huizen kraken in hun voegen.

Erik ligt te woelen in zijn bed. Au, hij kan niet slapen op zijn linkeroor, dat doet nog steeds pijn door die klap. Je neus niet in andermans zaken steken, gaat het door zijn hoofd. Dan valt hij in slaap; het is een onrustige slaap waarin hij keer op keer wordt belaagd door een man met een hoed. De man slaat Erik de hele tijd; nu niet tegen zijn oor maar op zijn neus.

Suzan ligt nog niet in bed, ze schrijft in een nieuw kladblok over de avonturen die ze vandaag hebben beleefd. Door het zolderraam van haar kamer ziet ze de bliksem naar beneden komen en de donder die erop volgt, doet het dak trillen. Even schrikt ze op, daarna gaat ze meteen weer verder met schrijven. De man met de hoed zei, dat wij onze neus niet in andermans zaken moeten steken. Wat zou hij daarmee bedoelen?

Maarten ligt lekker te ronken. Zijn sportschoenen staan naast zijn bed en worden zo nu en dan belicht door de bliksem. Maarten droomt van een vakantiereisje per schip. Hij staat samen met Suzan aan de reling te kijken naar spelende dolfijnen in het water. Plotseling valt er een schaduw over het water, het is een schaduw van een grote man met een hoed. Het vakantiereisje wordt direct minder plezierig en Maarten kreunt in zijn slaap.

Kees is nog klaarwakker. De donder en de bliksem houden hem uit de slaap. Hij heeft de radio aan zijn hoofdeinde gezet om de politieberichten te kunnen horen.

Een hele tijd hoort hij alleen maar ruis, maar dan klinkt het opeens: „Patrouillewagen achttien, wilt u zo spoedig mogelijk naar de Apolloweg gaan? Daar is een boom op een geparkeerde auto gevallen."

Een geparkeerde auto, denkt Kees en onmiddellijk keren zijn gedachten terug naar die middag. Wat was dat eigenlijk voor auto geweest waar Roy en Erik zo hardhandig mee in aanraking waren gekomen? De auto had geen dak, denkt Kees en hij leek rood of oranje. Stom, dat ze daar niet beter op hadden gelet. Kees probeert zich de situatie van die middag nog eens duidelijk voor de geest te halen. Ja, het was een rode auto geweest, zonder dak. Zonder dak? Een sportwagen dus. Maar waar had hij die al eens eerder gezien...?

Roy is met zijn vader nog bezig in de werkplaats in de kelder. Roy's vader maakt van hout allerlei kunstvoorwerpen, dat is zijn grootste hobby naast het biljarten. Het leuke van Roy's vader is dat hij zelf net zo kaal is als een biljartbal.

„Zeg, pa," begint Roy, „kun je voor mij een voorzittershamer maken? Die heb ik nodig voor de Greenpeace-club."

„De Greenpeace-club?" vraagt Roy's vader. „Wat spook je nu weer uit?"

„We gaan het milieu beschermen, pa."

„Dat is een goede zaak, jongen," zegt Roy's vader, „het milieu. Moet je kijken hoe het onweert. Dat is puur natuur: Donar, de dondergod, gaat flink tekeer met zijn hamer."

Ook Wim, die niet bij het voorval met de akelige man was, ligt onrustig te draaien in zijn bed. Elke keer wanneer het bliksemt, ziet hij in zijn slaapkamer de takken van de kastanjeboom weerspiegeld tegen de wand. Af en toe gaat hij even voor het raam staan en dan ziet hij tijdens het lichten de woonboot op de golfjes van het water deinen. Keer op keer wordt de omgeving heel even fel verlicht. Het is maar een fractie van een seconde, maar toch lang genoeg om veel te zien: de woonboot, het water, de kastanjeboom en verderop de koeien in het weiland. Er hangt een dreiging in de lucht, denkt Wim. En dat komt niet alleen door het onweer. Er is nog iets anders, maar wat? Ook Boy gromt en laat zijn tanden zien.

Het is nu midden in de nacht. Het zware onweer is overgegaan in een miezerig regenbuitje. Op de straten liggen donkere plassen. De Greenpeace-clubleden zijn inmiddels allemaal diep in slaap, vermoeid door de vele onverwachte gebeurtenissen. Alles lijkt uitgestorven.

Maar op de snelweg naar Utrecht rijdt een rode sportwagen met gesloten regenkap. In de buurt van Vinkeveen slaat de auto rechtsaf en stopt na een tijdje bij een kronkelig pad. Het is het pad dat naar de boerderij van Wims ouders voert. Een man in een regenjas stapt uit en zet zijn hoed op. In zijn hand heeft hij een zaklantaarn. Behoedzaam loopt de man het pad af naar de boerderij, het licht van de lantaarn met zijn hand afschermend. Bij de boerderij sluipt hij achterom, langs de kastanjeboom naar de loopplank van de woonboot. Daar blijft hij even staan en kijkt in het rond. De deur van de boot is afgesloten, maar de man haalt een grote tang uit zijn zak, waarmee hij het hangslot doorknipt. Voorzichtig duwt hij de deur open en gaat het Greenpeace-clubhuis binnen.

Op de boerderij is iedereen in diepe rust; ook Wim is eindelijk in slaap gevallen, met Boy aan zijn voeteinde.

Boy slaapt niet: met gespitste oren draait hij langzaam met zijn kop, het lijkt wel alsof de hond iets hoort. Plotseling springt hij van het bed, loopt naar het raam en gromt zacht.

Wim schrikt wakker en gaat rechtop in bed zitten. „Boy," fluistert hij, „wat is er, jongen? Het onweer is al voorbij, hoor. Kom maar hier."

Boy luistert niet naar zijn baasje en blijft grommend bij het raam staan.

Wim stapt uit zijn bed en loopt naar de hond. „Wat is er, Boy? Is er iets aan de hand?" Wim doet het raam open en kijkt naar buiten. Regendruppels vallen op zijn hoofd als hij zich vooroverbuigt om nog meer te kunnen zien. Alles lijkt rustig. „Kom, Boy, er is niets loos. We gaan weer naar bed." Wim doet het raam dicht en wil zich net omdraaien als hij ineens vanuit zijn ooghoeken een lichtje ziet in de woonboot. Verstijfd van schrik blijft hij staan. „Hé, wat is dat?" fluistert hij angstig. Ziet hij het wel goed?

Op dat moment slaat Boy woedend aan.

Wim roept luid: „Pa, ma, er is iemand in de woonboot!"

En dan volgen veel gebeurtenissen elkaar in snel tempo op. De deur van de woonboot wordt ruw opengegooid en een man stormt naar buiten. Hij heeft de zaklamp in de ene hand en een pakje in de andere.

Wim en Boy vliegen de trap af naar de keuken, waar inmiddels zijn ouders ook al staan. Snel pakken Wim en zijn vader een regenjack van de kapstok, ze trekken schoenen aan en rennen naar buiten.

Boy stuift meteen het pad af. Nog net zien ze aan het einde van het pad hoe een man met een hoed op, in een auto springt. Een paar seconden later stuift de wagen weg.

Boy, die vlak bij de auto is, krijgt een lading van de achterbanden opspattende modder op zijn kop. Besmeurd komt de hond weer terug.

„Nou, die vogel is gevlogen," zegt Wims vader spijtig.

„Ja," reageert Wim. „Maar ik heb nog wel de auto gezien. Dat was een sportwagen."

„Ach, joh, daar zijn er zoveel van," antwoordt zijn vader. „Kom, we gaan weer naar bed. Morgenochtend kijken we wel wat die vent op de woonboot heeft uitgespookt."

„Ja," bevestigt Wim, „en dan moeten we ook meteen de politie bellen. En ik moet het aan de Greenpeace-clubleden vertellen. Een inbraak in ons clubhuis, dat begint al goed."

„Ja," zegt Wims vader. „Het lijkt erop dat jullie je heel wat op de nek hebben gehaald."

HOOFDSTUK 4

De vergadering

De volgende ochtend staat Wim al vroeg op. Het weer is helemaal opgeknapt, de zon schijnt en de wereld ziet er ineens heel anders uit.

In de keuken is Wims moeder bezig met het ontbijt. Mmm, heerlijk, ze maakt een stevig ontbijt: gebakken eieren met spek. Daar heeft hij nou echt zin in na alle toestanden van die nacht. Als hij zijn portie heeft verorberd, vraagt hij naar zijn vader.

„Pa is al naar de woonboot, Wim," zegt zijn moeder. „Dat was vannacht een hele schrik, hè?"

Wim hoort het al niet meer, hij rent meteen in de richting van de woonboot. Zijn vader en Boy staan bij de deur van de boot.

Wims vader bekijkt het opengeknipte slot zorgvuldig en zegt: „Nou, Wim, laten we maar eens naar binnen gaan. Kijken hoe het er daar bij staat."

Binnen lijkt alles nog op zijn plaats. De banken, de tafel, het ladenkastje.

Het ladenkastje? Wim moet onmiddellijk denken aan het kladblok van Suzan en vlug trekt hij de laatjes een voor een open. Leeg! „Oh, nee toch," kreunt hij zacht. „Het zal toch niet waar zijn. Alle notities van de Greenpeace-club zijn weg."

„Wat is er, Wim?" vraagt zijn vader bezorgd. „Je ziet opeens zo bleek?"

„Pa, pa," fluistert Wim, „het kladblok is weg."

„Het wàt is weg?" vraagt zijn vader verbaasd.

Plotseling bedenkt Wim dat de notities in het kladblok geheim zijn, alleen de Greenpeace-clubleden mogen weten wat Greenpeace van plan is. Ze hebben Siebe van de Sirius toch beloofd er met niemand over te praten... Dus kan hij zijn vader ook niet inlichten!

„Nee, het is niks, pa. Ik slaapwandel nog een beetje, geloof ik," mompelt Wim.

„Ja," antwoordt zijn vader, „van slapen is vannacht niet veel terechtgekomen. Maar een geluk bij een ongeluk is wel dat er niets is gestolen. Waarschijnlijk hebben we de dief bijtijds betrapt. Vandaag zet ik een nieuw slot op de deur en dan moeten we die hele geschiedenis maar gauw vergeten."

„Belt u de politie niet?" vraagt Wim verbaasd.

„Nee, dat is nu toch niet nodig, er is toch niets gestolen? Nou ja, het slot is kapot, maar dat maak ik wel weer."

Samen lopen ze terug naar het huis; Wims vader in zijn nopjes omdat het zo goed is afgelopen, Wim in paniek, omdat het kladblok weg is. Hoe moet hij dat de anderen vertellen?

Even later loopt Wim met zijn fiets aan de hand het pad af om naar school te gaan. Hij ziet er enorm tegen op zijn vrienden de diefstal van het kladblok te melden. Wat zullen ze er wel niet van denken? Biedt hij zijn woonboot aan en dan is het de eerste de beste nacht al raak. Wim baalt en niet zo'n beetje ook.

Peinzend sjokt hij naast zijn fiets. Als hij aan het eind van het pad wil opstappen, valt zijn oog plotseling op een klein voorwerp. Hé, wat is dat nu? Snel raapt hij het op; het is een portefeuille. Hij maakt het ding vlug open: geen geld maar wel een paar papiertjes. Zou de portefeuille soms van de dief zijn? Dat moet haast wel, want op deze plaats is de man in grote haast in zijn auto gestapt. Het is heel goed mogelijk dat hij toen zijn portefeuille heeft verloren. Wim stopt het ding in zijn zak en gaat op weg. Hij is een beetje opgelucht dat hij toch met iets op de proppen kan komen.

Op het schoolplein staan de andere Greenpeace-clubleden in een kring te praten over de man met de hoed en het onweer.

„Hé, daar heb je Wim ook," zegt Roy. „We moeten hem alles nog vertellen."

„Je bent zo rood als een tomaat, Wim," roept Kees. „Ben je bezig met de Tour de France?"

Maar Wim heeft geen tijd voor een geintje. Hij smijt zijn fiets tegen een paaltje en zucht: „Het is verschrikkelijk, verschrikkelijk."

„Wat is verschrikkelijk?" vraagt Maarten.

„Het kladblok van Suzan is vannacht uit het clubhuis gestolen," antwoordt Wim angstig.

„Mijn kladblok gestolen?" roept Suzan verontwaardigd.

„Is het kladblok gestolen?" schreeuwen Erik en Roy tegelijk.

„Ja, helaas," zegt Wim en dan doet hij het hele verhaal uit de doeken. Het aanslaan van Boy, het lichtje dat hij zag, het opengebroken slot en de lege laatjes.

De anderen luisteren ademloos, maar als Wim het heeft over een man met een hoed in een sportwagen, beginnen ze allemaal door elkaar heen te schreeuwen.

„Die gemene kerel heeft mij een klap op mijn oor gegeven," roept Erik kwaad uit. „Kijk, het is nog helemaal rood."

„Die vent stond met zijn auto aan het begin van het pad," roepen de anderen, „en toen hebben we ruzie met hem gehad." Ze vertellen Wim het hele verhaal en nu is hij het die ademloos luistert.

„Maar goed," zegt Roy als de gemoederen weer wat bedaard zijn, „daar staan we dan. Erik een rood oor, ik een gat in mijn broek, Suzans kladblok weg en onze geheimen in vreemde handen. Wie zou die kerel zijn? Hij achtervolgt ons blijkbaar al een tijdje."

Ineens gaat bij Kees een lampje branden: „Ik weet het weer, ik weet het weer," roept hij juichend uit.

„Wat weet je weer?" bromt Maarten, die zich persoonlijk aantrekt dat Suzans kladblok is verdwenen.

„Nu weet ik weer waar ik die rode sportwagen eerder heb gezien," vervolgt Kees. „Bij de haven, toen we op bezoek waren bij de Sirius. Ik zei toen nog tegen Maarten dat hij wel mooie sportschoenen heeft, maar dat zijn moeder toch niet zo'n mooie sportwagen voor hem zou kunnen kopen."

Maarten haalt zijn schouders op: „Ik weet niet waar je het over hebt, ik heb die kar daar echt niet gezien, hoor."

„Nee?" vraagt Kees. „Weet je dan ook niet meer dat ik dat zei van je schoenen en die sportauto?"

„Donders," wordt nu ook Maarten wakker, „dat is waar ook. Toen snapte ik al niet wat je bedoelde, maar ik weet nu wel weer dat je iets geks zei over een auto. Ik zag helemaal geen auto."

„Maar die zag ik wel, Maarten," zegt Kees. „Ik weet het zeker."

„Wat deed die man dan bij de Sirius?" vraagt Erik in opperste verbazing.

„En wie is die man?" vraagt Roy opnieuw.

„En waarom heeft hij mijn kladblok meegenomen?" vraagt Suzan.

„Wacht eens even," mompelt Wim, „ik heb op het pad deze portefeuille gevonden en ik weet zeker dat die van de man met de hoed is."

Hierop breekt een geweldig tumult los. Iedereen wil de portefeuille bekijken en zes paar handen graaien ernaar.

„Nee, zo gaat dat niet bij Greenpeace," roept Roy boven het geschetter uit. „Dadelijk moeten we naar onze klas en dit moeten we goed bespreken. Vanmiddag hebben we allemaal vrij, dus om twee uur is er een vergadering in het clubhuis!"

„En let op," voegt Erik eraan toe, „dat je niet door de man met de hoed wordt achtervolgd."

Verschrikt kijken de anderen om zich heen. Maar er is geen spoor te bekennen van een man met een hoed in een sportauto. Vlug gaan ze de school binnen. Voor het eerst lijkt die voor iedereen een veilige haven.

Deze keer vliegen de lessen gelukkig om. Ondanks de spanning vanwege de naderende vergadering, let iedereen in de klas goed op. Meneer Van Hulzen herinnert alle leerlingen er nog eens aan dat de werkstukken de volgende week moeten worden ingeleverd. De jongens kijken direct naar Suzan; die kan opnieuw beginnen, denken ze.

Onmiddellijk na school rennen de Greenpeace-clubleden naar buiten.

Maarten kijkt eerst nog wel angstig om de hoek of de man met de hoed op het schoolplein staat. Het plein is echter verlaten.

„Tot twee uur in het clubhuis," roepen ze nog naar elkaar. En dan gaat iedereen naar huis om te eten.

Om twee uur precies zijn ze allemaal present in het clubhuis. Suzan en Maarten zitten aan de ene kant van de tafel en Erik en Wim hebben aan de andere lange zijde plaatsgenomen. Kees en Roy gaan elk aan een korte kant zitten en de vergadering kan starten.

Roy slaat met een liniaal op de tafel; hij heeft nog geen voorzittershamer. „Ahum, beste Greenpeace-clubleden, de vergadering gaat beginnen," zegt hij plechtig. „Laten we de zaken nog eens op een rijtje zetten. Wie is de man met de hoed? Waarom achtervolgt hij ons al een tijdje en waarom steelt die kerel Suzans kladblok met de geheime notities? Op deze vragen moeten we een antwoord zien te vinden."

„En moeten we Siebe niet waarschuwen dat onze geheimen in verkeerde handen zijn gevallen?" merkt Kees op.

Er valt een pijnlijke stilte. Kees heeft gelijk: de mensen aan boord van de Sirius moeten zo snel mogelijk worden gewaarschuwd. Als de actieplannen voortijdig bekend zijn, kan de hele actie mislukken. Eigenlijk weten alle leden van de Greenpeace-club dat ze Siebe onmiddellijk alles moeten vertellen. Maar ze schamen zich voor hun slordigheid. Ze hebben hun geheim maar één dag kunnen bewaren.

„Zullen we na de vergadering meteen naar de Sirius gaan?" verbreekt Erik de stilte. „Om alles te vertellen?"

„Dat kan niet," mompelt Maarten. „De Sirius is vanochtend vroeg naar zee vertrokken. Eigenlijk zouden ze gisteravond al zijn gegaan, maar door het onweer en de storm moesten ze wachten. Siebe belde mijn vader gisteravond nog op, maar ik heb niet meer met hem gepraat, ik lag al in bed."

„Dan moeten we Siebe bellen, zodra de Sirius ergens een haven binnenvaart," roept Wim uit.

„Naar welke haven gaat de Sirius, Maarten?" vraagt Kees.

Maarten schudt zijn hoofd: „Dat weet ik niet. Ik heb Siebe niet gesproken."

Een lichte paniek maakt zich van Roy meester. „Ja, maar Maarten, we moeten toch weten waar de Sirius is? Daar zijn we toch een Greenpeace-club voor?"

„Ja," springt Kees in. „Als ik nu radio-zendapparatuur zou hebben, had ik met Siebe een gesprek via de radio kunnen voeren."

„Maar die spullen hebben we nu eenmaal niet," zegt Suzan kalm en ze vervolgt langzaam: „Gelukkig weet ik wèl waar de Sirius naar toe gaat."

„Jij weet dat wel?" roepen de anderen verbaasd uit.

„Ja," antwoordt Suzan. „Naar België, naar Antwerpen."

Met stomheid geslagen staren de jongens haar aan.

Maarten is de eerste die kribbig opmerkt: „Waarom naar Antwerpen?" Hij vindt het niet leuk dat Suzan meer van Siebe weet dan hijzelf.

„Nou," zegt Suzan, „moet je luisteren. Ik heb met Siebe afgesproken dat hij mij regelmatig opbelt om me op de hoogte te houden. Dat was dus voor mijn werkstuk. Gisteravond belde hij me om te zeggen dat de Sirius naar Antwerpen zou gaan. Dat bedrijf, O.S.N., heeft een schip gehuurd, dat ze daar laden met giftig chemisch afval en dat afval dumpen ze dan voor de kust bij Hoek van Holland."

„Zo," zegt Roy, onder de indruk van Suzans kennis. „En weet je toevallig ook hoe dat schip heet?"

„Toevallig weet ik dat ook," glimlacht Suzan. „Siebe vertelde dat

dat schip 'Etna' heet."

Wim, Erik en Kees staren haar met stijgende verbazing aan.

Maarten is alweer over zijn kribbigheid heen en is eigenlijk een beetje trots op Suzan.

„Dank je wel, Suzan," zegt Roy. „Ik denk dat deze informatie heel belangrijk is. We moeten alleen nog zien uit te vinden wanneer en hoe laat de Sirius in Antwerpen aankomt, want we moeten Siebe zo snel mogelijk waarschuwen."

„Waarom gaan we niet naar het echte Greenpeace-kantoor," zegt Kees. „De mensen van Greenpeace zullen toch wel weten wanneer de Sirius aankomt en hoe we Siebe kunnen bereiken?"

„Ja," vult Erik aan. „Laten we dat direct na de vergadering doen."

„Ja, dat is een goed idee," roept iedereen opgetogen.

„Het Greenpeace-kantoor ligt midden in de stad," zegt Maarten gewichtig. „Het is ongeveer een uurtje fietsen, denk ik."

„Oké," zegt Roy, „dan is dit punt tijdelijk afgehandeld. Nu gaan we over tot de vraag: wie is de man met de hoed?"

„Wim, kom op, man, laat ons niet langer in spanning zitten," bromt Maarten. „Geef die portefeuille eens."

Wim pakt het ding uit zijn zak en legt het op tafel. Natuurlijk heeft hij er thuis al ingekeken. „Er zit niet zoveel in," zegt hij, „behalve dan een bonnetje van een stomerij en een paar briefjes. Op een van die briefjes staan allemaal bekende adressen!"

„Hoezo bekend?" vraagt Suzan.

„Nou, het adres van onze school staat erop, de ligplaats van de Sirius in onze stad en..." hier stopt Wim even en hij kijkt iedereen doordringend aan, „het adres van onze boerderij!"

„Nou," zegt Roy, „dan moet de portefeuille wel het eigendom van die kerel zijn, van die man met de hoed, onze inbreker."

De anderen praten nu zo hard door elkaar dat Boy, die lekker buiten in de zon lag, nieuwsgierig komt kijken.

„Maar er staat nog iets op het papiertje," roept Wim boven het lawaai uit. „Op de achterkant staat: *woensdag a.s. 17.00 uur thuis/GP.*"

„Dat lijkt wel een afspraak," zegt Roy.

„Ja," vult Maarten aan. „De eigenaar van de portefeuille heeft aanstaande woensdag een afspraak bij hem thuis, om vijf uur."

„Nee," zegt Roy onmiddellijk, „dat is niet aanstaande woensdag, dat is vandaag. Kijk, die kerel heeft zijn portefeuille gisteren bij de boerderij van Wim verloren. Dus de woensdag moest toen nog komen, dus heet dat aanstaande."

„Heel goed, Roy," prijst Kees.

„Maar wat betekent GP dan?" vraagt Erik.

Allemaal denken ze diep na en ze proberen verschillende woorden.

„Groot Plan?" vraagt Roy.

„Of Gemeen Plan," werpt Kees op.

„Ik heb het," juicht Suzan opeens enthousiast. „GP staat natuurlijk voor Greenpeace! Daar gaat het die kerel toch om!"

Even zijn de anderen sprakeloos. Tjonge, dat zij daar niet op zijn gekomen.

Maarten slaat haar op de schouder en voelt zich even trots als Suzan, die zit te glunderen.

„En verder," roept Wim boven het lawaai uit, „zit er nog een eurochequepas in en daarop staat de naam van de bank, dat is de Rabobank, en een banknummer. Dat nummer is 31.35.60006. De naam van de eigenaar staat er ook op, en dat is dus de man met de hoed."

„En welke naam is dat dan?" vraagt Suzan ongeduldig.

„Zijn naam is P.C.B. Kraaieman," zegt Wim.

„Staat er ook een adres op de pas?" wil Kees weten.

„Nee," zegt Wim. „Het rekeningnummer, de naam van de bank en de naam van de pashouder, de eigenaar dus. Dat is alles. Meer is er niet. Geen adres, geen telefoonnummer, niks."

„Maar dan weten we nog niets," zegt Kees. „Nou ja, behalve dan de naam. Maar hoeveel Kraaiemannen wonen er niet in Nederland?"

„Wees blij dat we in elk geval zijn naam weten. Maar hoe vinden we nu het adres?"

„Dat is heel eenvoudig," schreeuwt Erik opeens. „Mijn vader heeft me eens verteld dat je aan het nummer kunt zien welke bank het is en waar die bank zit. Dat kun je aan de eerste vier cijfers zien. We weten al dat het om een Rabobank gaat, maar we moeten erachter komen in welke stad of dorp die bank zich bevindt. Het gaat dus om het getal 31.35."

„Als we dat weten," merkt Suzan op, „dan weten we ook in welke stad of welk dorp de heer P.C.B. Kraaieman woont."

„Nou, heer?" zegt Roy ad rem. „Je bedoelt de boef P.C.B. Kraaieman."

„Ja," zegt Maarten, „en als we de plaats weten waar de boef P.C.B. Kraaieman woont, dan kunnen we misschien via het telefoonboek aan zijn adres komen."

„Alles goed en wel," werpt Roy tegen, „maar dan gaan jullie er wel van uit dat die kerel in dezelfde plaats woont als waar zijn bank is."

„Dat is waar," zegt Wim. „Maar waarom zal iemand een bank nemen in een andere stad dan waar hij woont?"

„Waarom willen we dat adres eigenlijk weten?" vraagt Kees.

Ja, waarom wil de Greenpeace-club dat adres weten? Alle leden kijken elkaar aan. Ze vinden het behoorlijk spannend worden en het lijkt wel alsof ze de man met de hoed steeds beter leren kennen. Als een duidelijk bewijs van die man zijn bestaan, ligt daar nog steeds zijn portefeuille op tafel. Wim zit er de hele tijd wat zenuwachtig aan te frunniken.

Dan zegt Roy geheimzinnig: „Die man heeft ons achtervolgd en nu gaan wij hem achtervolgen om erachter te komen wat hij in zijn schild voert. Bovendien heeft hij vanmiddag om vijf uur blijkbaar een afspraak met iemand over Greenpeace!"

„Tjonge, wat vreselijk griezelig," bibbert Suzan. „Ik vind het eng hem nog eens te ontmoeten."

„Ja, maar we moeten achter hem aan," zegt nu ook Kees. „We moeten te weten komen waarom die man heeft ingebroken in het clubhuis en waarom hij jouw kladblok heeft meegenomen."

Maarten, Erik en Wim zijn het met hem eens. Natuurlijk, het is geen pretje die akelige vent nog eens te zien, maar het moet. De Greenpeace-club moet alles proberen om de mensen aan boord van de Sirius te helpen. Per slot van rekening is het hun fout dat het geheim in verkeerde handen is gevallen.

Suzan geeft zich gewonnen: „Wat moet, dat moet."

De vergadering loopt ten einde en nu dienen ze alleen nog een plan op te stellen. Wat gaat er gebeuren en wie doet wat?

„Ahum," zegt Roy, „ik geloof dat we zo langzamerhand een beslissing moeten nemen over wat we nu verder gaan doen en vooral over hóe we het nu verder gaan doen. Kees heeft al gezegd dat we naar het echte Greenpeace-kantoor moeten gaan om te weten te komen wanneer de Sirius in Antwerpen aankomt. Verder moeten we meer te weten zien te komen over die Kraaieman en zijn bedoelingen. Hoe zullen we dat aanpakken?"

Even heerst er een volkomen stilte aan boord, dan zegt Maarten: „Ik stel voor om twee groepen samen te stellen. De ene groep gaat naar het Greenpeace-kantoor in de stad om uit te zoeken wanneer de Sirius in Antwerpen aankomt en hoe we de Sirius kunnen bereiken. De tweede groep gaat achter het adres van Kraaieman aan en probeert uit te vinden waarom die man zo is geïnteresseerd in Greenpeace en in onze club."

De anderen vinden dat een goed voorstel. Ze besluiten te loten over wie in welke groep gaat, want iedereen wil graag naar het echte Greenpeace-kantoor en niemand heeft trek Kraaieman opnieuw te ontmoeten. Uiteindelijk gaan Suzan, Maarten en Wim naar

het kantoor; Erik, Kees en Roy zullen achter het adres aangaan.
„Goed, dan sluit ik nu de vergadering," zegt Roy en hij slaat hard met zijn liniaal op tafel.

HOOFDSTUK 5

P.C.B. Kraaieman

Met z'n zessen fietsen de Greenpeace-clubleden terug naar de stad.

Suzan, Maarten en Wim bespreken ondertussen hoe ze de mensen van Greenpeace het best kunnen vertellen over de diefstal van de geheime notities. Hoewel ze een gemakkelijker opdracht hebben dan de andere drie, schamen zij zich er toch een beetje voor in het Greenpeace-kantoor te moeten zeggen dat zij zich niet aan hun afspraak met Siebe hebben kunnen houden.

De gezichten van Erik, Kees en Roy staan heel wat zorgelijker. Het moet weliswaar niet zo moeilijk zijn het adres van de schurk Kraaieman te achterhalen, maar wat moeten ze doen als ze het adres hebben gevonden? Natuurlijk zullen ze er meteen heen gaan. En als ze Kraaieman weer tegen het lijf lopen? Wat dan? Ze denken alle drie hetzelfde en bij ieder van hen loopt er een rilling over de rug.

Bij het schoolplein aangekomen, stoppen de Greenpeace-clubleden voor de laatste beraadslagingen.

„Als we om zeven uur vanavond nog niet thuis zijn," zegt Erik, „moeten jullie wel de politie waarschuwen. Stel je eens voor dat Kraaieman ons ziet en gevangenneemt."

„Wel ja," zucht Wim. „Jullie moeten ervoor zorgen dat Kraaieman jullie niet ziet. Zo simpel is dat."

Dan mengt Suzan zich in het gesprek: „Ik vind dat Erik gelijk heeft. Je kunt toch nooit weten. Laten we afspreken dat we elkaar vanavond om zeven uur bellen, dan kunnen we in elk geval vertellen hoe het allemaal is gegaan."

„Wacht nou eens even," zegt Roy. „Als we alle zes om zeven uur elkaar gaan bellen, krijgen we allemaal 'in gesprek'. Dat moeten we dus anders oplossen.”

„Ja,” zegt Maarten, „dat kan heel eenvoudig. Om zeven uur precies belt Kees mij op, en als hij niet belt, is er wat aan de hand en dan zien we wel verder.”

„Dat zeg je nu wel zo gemakkelijk, Maarten,” moppert Kees, „maar daar hebben Erik, Roy en ik dus niets aan. Per slot van rekening moeten wij het vuile werk opknappen.”

„Weet je wat,” zegt Wim. „We doen het nog anders. Zodra jullie het adres van Kraaieman hebben gevonden, bellen jullie naar het Greenpeace-kantoor. Jullie bellen dus voordat jullie naar het huis van die Kraaieman gaan. Dan weten wij en de mensen van Greenpeace waar jullie eventueel te vinden zijn als het misloopt.”

Dit vindt iedereen een geruststellend idee en met die gedachte scheiden de groepen zich. Wim, Suzan en Maarten gaan in de richting van het Greenpeace-kantoor, terwijl Erik, Roy en Kees nog even op het schoolplein staan te overleggen.

„Waar moeten wij nu naar toe?” vraagt Kees verwonderd.

„Laten we naar het dichtstbijzijnde kantoor van de Rabobank gaan,” stelt Erik voor. „De mensen daar moeten ons aan de hand van het bankrekeningnummer toch kunnen zeggen waar dat Rabokantoor zich bevindt.”

„Dat lijkt mij ook,” meent Roy. „En als we dan weten in welke stad die bank is, dan kunnen we via het telefoonboek aan het juiste adres komen.”

„En als dat niet in Amsterdam is, maar in een andere stad, ver weg, wat dan?” vraagt Kees opnieuw.

„Dat zien we dan wel weer,” roepen Erik en Roy tegelijk.

En Erik stelt voor: „Kom op, een paar straten voorbij de school is een Rabobank, laten we het daar gaan vragen.”

En zo staat het drietal even later voor de deur van de Rabobank.

„Ahum,” kucht Erik voor het loket. „Kunt u ons misschien helpen?” vraagt hij aan de mevrouw achter de balie. „Ziet u, wij hebben een portefeuille gevonden en die willen wij terugbrengen. Er zit een pasje in van de Rabobank met het rekeningnummer 31.35.60006 en de naam P.C.B. Kraaieman, maar er staat geen adres bij."

„En nu willen wij weten," vult Roy aan, „of u ons kunt vertellen of dat nummer van een bank hier in de stad is."

„Maar natuurlijk kan ik dat, jongens," zegt de mevrouw vriendelijk. „Ik vind het heel aardig dat jullie die portefeuille terugbrengen. Je moet maar denken: eerlijk duurt het langst. De eigenaar van deze pas zal jullie daarvoor heel dankbaar zijn. Laat mij het bankrekeningnummer eens zien?"

Als de vrouw achter een beeldscherm gaat zitten om wat gegevens in te toetsen, kan Kees zijn lachen bijna niet bedwingen.

Ja, ja, die Kraaieman zal hun zeker uit dank een kopje thee met appelgebak aanbieden, maar dan wel een kopje thee met arsenicum erin!

„Het is een Rabokantoor hier in de stad," zegt de vrouw nadat er allerlei cijfers op de monitor zijn verschenen. „Om precies te zijn op de Nieuwendammerdijk in Amsterdam-Noord. Meer kan ik jullie helaas niet zeggen. Maar hier is een telefoonboek, misschien staat die meneer daar wel in."

„Dank u wel voor de moeite, mevrouw," zegt Erik netjes.

De drie jongens gaan vervolgens op een bankje in het midden van de hal aan de slag met het telefoonboek.

„Hé," roept Kees uit, „er staan niet eens zoveel Kraaiemannen in. Maar acht."

„Ja," zegt Roy, „en gelukkig maar één P.C.B. Kraaieman. Kijk, hier heb je hem. P.C.B. Kraaieman, Meeuwenweg 110."

Het raadsel is opgelost. Nu gaat het pas echt beginnen...

„Laten we opschieten," zegt Roy. „Het is al vier uur en we kunnen er voor vijf uur zijn. Dan heeft Kraaieman die afspraak."

Even later fietst het drietal naar Amsterdam-Noord.

„Dat hebben we toch maar snel gevonden," zegt Kees vrolijk. „Eigenlijk was het een fluitje van een cent."

„Ja," roept Roy, „we hadden net zo goed meteen het telefoonboek van Amsterdam kunnen pakken. Dan hadden we niet eens naar dat Rabokantoor hoeven te gaan."

„Maar stel je nu eens voor," werpt Erik tegen, „dat Kraaieman niet in Amsterdam zou hebben gewoond. Dan had je heel wat telefoonboeken moeten doorworstelen om hem te vinden."

„En," voegt Kees eraan toe, „we weten nu in elk geval zeker dat de P.C.B. Kraaieman op de Meeuwenweg onze boef Kraaieman is."

„Nou, helemaal zeker kunnen we daar pas van zijn als we Kraaieman zelf zien," zucht Roy. „Het kan best dat er nog een P.C.B. Kraaieman hier woont, die geen telefoon heeft. Of een die een geheim nummer heeft en dus niet in het telefoonboek staat. Dat kan ook onze Kraaieman zijn."

Dat is natuurlijk waar: ze moeten Kraaieman eerst zelf zien om te kunnen zeggen of het hun Kraaieman is. En met die gedachte komt ook de angst weer terug. Door de succesvolle speurtocht naar het adres zijn de drie Greenpeace-clubleden even vergeten dat ze moeten zien uit te vinden wat die Kraaieman in zijn schild voert.

„We moeten het Greenpeace-kantoor nog bellen," zegt Erik. „Dat hebben we afgesproken met de anderen, dan weten ze waar ze moeten zoeken als er wat met ons gebeurt."

„Hè, ja, gezellig ben jij," roept Kees zenuwachtig.

Maar even later belt Erik toch vanuit een telefooncel naar het Greenpeace-kantoor.

„Greenpeace, goedemorgen," klinkt het aan de andere kant van de lijn, waarop dadelijk een verontschuldigend: „Oh nee, ik bedoel goedemiddag," volgt. Een vriendelijke, doch verwarde man staat Erik te woord. Wim, Suzan en Maarten zijn inmiddels op het kantoor gearriveerd, zo blijkt, en hij zal het adres van Kraaieman aan hen doorgeven.

„Zo, dat is geregeld," zegt Erik geruststellend. „En nu gaat het grote karwei dan toch echt beginnen."

„Als we dat karwei maar kunnen afmaken," zegt Roy ernstig.

„Hoezo, wat bedoel je?" vraagt Kees.

„Nou ja," zegt Roy, „dat zegt mijn vader altijd als het over politiek gaat."

„Als Kraaieman ons maar niet afmaakt," griezelt Erik.

Gebroederlijk staan ze even later op de pont over het IJ. Het IJ is ook het water dat naar de haven van de Sirius voert en aan de andere kant naar zee. Vanochtend vroeg is de Sirius hier gepasseerd, op weg naar de Noordzee. Op de pont voelen Roy, Kees en Erik plotseling een band met de Greenpeace-mensen van de Sirius. Misschien zijn het de meeuwen die met de pont meevliegen, die hun even het idee geven dat ze aan boord van het beroemde schip zijn. De meeuwen zoeken in het schroefwater van de pont naar visjes die naar boven worden gestuwd. Het zijn meesterlijke vliegers, die in een duikvlucht de vissen uit het water pikken. Met bewondering staren Erik, Kees en Roy naar de sierlijke bewegingen van de vogels.

„Waar zou de Meeuwenweg zijn?" vraagt Kees plotseling.

De anderen schrikken op uit hun fantasieën. Ja, waar is de Meeuwenweg?

„Weet u misschien waar wij de Meeuwenweg kunnen vinden, meneer?" vraagt Roy aan een man op een brommer, die een helm op heeft. De man ziet eruit alsof hij al duizenden keren met de pont op en neer is geweest. Hij heeft geen oog meer voor de meeuwen of voor de zon, die over het water schijnt en het water doet glinsteren alsof het goud is.

„Wablief, jongeman?" mompelt hij.

„De Meeuwenweg, weet u waar we die kunnen vinden?" vraagt Roy opnieuw.

„Oh, de Meeuwenweg, da's niet zo moeilijk," roept de man nu blij uit. Het gebeurt niet zo vaak dat men een beroep doet op zijn kennis. Op zijn werk vertelt iedereen hem wat hij moet doen en ook thuis heeft hij niet veel te vertellen. Maar nu kan hij deze jongeheren eens haarfijn uitleggen waar de Meeuwenweg is. „Kijk," zegt hij, „als je straks direct rechtsaf slaat, kom je op een dijk. Aan het einde van die dijk sla je weer rechtsaf over de brug en dan de tweede dwarsstraat linksaf. Dat is de Meeuwenweg. Weet je het nu?"

„Jawel, meneer, dank u wel," antwoordt Erik beleefd. De man is enigszins teleurgesteld dat de jongens het al zo snel begrijpen: hij had het graag nog eens uitgelegd.

Inmiddels heeft de pont afgemeerd en Erik, Kees en Roy springen op hun fietsen, op naar de Meeuwenweg.

„En nu linksaf," beveelt Kees even later.

Inderdaad, ze staan meteen op de Meeuwenweg. Een lange rij eengezinswoningen met een voor- en achtertuin strekt zich voor hen uit.

„Het is misschien verstandiger onze fietsen hier te laten staan en te voet verder te gaan. Dan vallen we niet zo op," zegt Kees op samenzweerderige toon.

Dat vinden de anderen ook en even later lopen ze met z'n drieën naast elkaar over het trottoir langs de huizen.

„Dit is pas nummer twintig," merkt Erik op. „Dus het huis van Kraaieman moet een stuk verder zijn."

Plotseling trekt Roy de anderen stevig aan de arm en sleurt hen achter een heg van een van de voortuinen.

„Wat is er met jou aan de hand?" roept Kees verbaasd uit.

„Ja, doe niet zo idioot," vult Erik aan.

„Ssst," sist Roy. „Kijk daar." Hij wijst in de verte en daar zien ze een rode sportwagen komen aanrijden, die even daarna voor een huis stopt, zo'n tweehonderd meter verderop. Hevig geschrokken duiken de Greenpeace-clubleden helemaal weg achter de heg. Voorzichtig gluren ze een paar seconden later over de heg en zien dat een man uit het rode gevaarte stapt. Hij draagt een regenjas en heeft een hoed op.

„Oh," kreunt Kees, „dat is onze Kraaieman. Hij is het echt."

De man met de hoed gaat het huis binnen, terwijl Kees, Erik en Roy een beetje van de schrik bekomen.

„Dat was op het nippertje," puft Roy. „Als hij ons had gezien, waren we de klos geweest."

„Maar wat zullen we nu doen?" vraagt Erik zenuwachtig. „Het is al kwart voor vijf."

„Ja, wat zullen we doen," fluistert Kees, terwijl er een diepe denkrimpel in zijn voorhoofd verschijnt. „De boel verkennen?" oppert hij.

„Dat lijkt me een goed plan. Ja, en ook een veilig idee," zegt Roy opgelucht.

„Achter de huizen loopt een pad," zegt Erik plotseling. „Het is een pad dat naar de achtertuinen gaat. Ik zag het voordat we met de fiets linksaf sloegen. Het is misschien veiliger om het huis van Kraaieman via de achterkant te benaderen."

Dat vinden Kees en Roy ook en via het pad achter de huizen sluipen ze naar het huis van Kraaieman. In de buurt van het huis blijven ze staan.

„Hier moet het ongeveer zijn," zegt Erik. „Ik heb de huizen geteld en dat huis is het," wijst hij vervolgens beslist aan.

„Weet je het zeker?" vraagt Roy.

„Ja," antwoordt Erik.

„Kijk," zegt Kees. „De tuin van Kraaieman is helemaal verwaarloosd. De brandnetels groeien overal en de struiken zijn behoorlijk verwilderd."

„Dat is waar," vindt ook Roy. „Dat geeft ons een goede mogelijkheid via de achtertuin naar binnen te gluren in het huis."

Voorzichtig sluipen ze door de tuin tot vlak bij het huis. Hun hart bonkt in de keel. Ze zijn zenuwachtig en bang, maar het moet. Ze willen zich niet laten kennen. Ze moeten te weten zien te komen wie Kraaieman is en wat hij met de gestolen notities wil doen. Vanachter een dichtbegroeide goudenregen hebben ze een goed zicht op de woning van de boef.

„Kijk," fluistert Kees heel zachtjes. „Je kunt zo in de huiskamer kijken. Daar loopt Kraaieman, geloof ik."

De anderen zien hem nu ook duidelijk. Kraaieman zonder hoed blijkt een man met kort, stekelig haar en een soort varkenskop. Zonder hoed ziet de man er nog angstaanjagender uit dan met hoed.

Roy werpt een blik op zijn horloge: het is vijf voor vijf. Als het goed is, gaat er dus om vijf uur wat gebeuren, weet Roy, want hij is het briefje uit de portefeuille van Kraaieman nog niet vergeten.

Plotseling kijkt Kraaieman in hun richting en hij loopt snel naar de enorme glazen wand toe. De Greenpeace-clubleden blijven verstard van schrik zitten. Zijn ze ontdekt? Gelukkig schuift Kraaieman alleen maar een raam open. „Zo, een beetje frisse lucht ken geen kwaad," horen de jongens hem mompelen. Ze kunnen nu zelfs een klok horen tikken.

Kees schudt de anderen aan de arm en hij gebaart met een vinger voor de mond dat ze niet meer moeten fluisteren.

Erik en Roy begrijpen hem donders goed: als zij bijna alle geluiden vanuit de huiskamer kunnen opvangen, dan kan Kraaieman hen natuurlijk ook horen. Dus houden ze zich alle drie muisstil.

Na een paar minuten klinkt er luid een deurbel. Onmiddellijk zien de jongens Kraaieman opspringen en de kamer uitlopen. Even later komt hij weer terug met twee mannen.

„Nou, meneer Schuymer, as u nu es hier gaat zitten en Piet van Kulke daar, dan pak ik deze stoel," zegt Kraaieman tegen de twee bezoekers.

Een keurig geklede heer met grijs haar, die luistert naar de naam

Vanachter de struiken kunnen de jongens het gesprek afluisteren. (blz. 47)

Schuymer, zet zich in een brede fauteuil en de ander, Piet van Kulke, gaat in een andere fauteuil zitten. Kraaieman pakt een stoel.

Zo chic als de heer Schuymer eruitziet, zo slordig en onverzorgd oogt Van Kulke. Een nauwe, zwarte broek en een zwart, leren jasje, met daaronder nog eens een zwart overhemd geven de man een ongure aanblik. Dat wordt bovendien versterkt, omdat hij zijn zwarte zonnebril met spiegelglazen ook in huis ophoudt.

„Wel, wel, Kraaieman," zegt de heer Schuymer waarderend. „Kerel, je hebt heel goed werk geleverd. Bravissimo! Toen jij mij vanochtend op de zaak belde met de mededeling dat de Sirius onderweg was naar Antwerpen, heb ik Van Kulke direct aan het werk gezet. Maar vertel eerst eens: hoe kon je zo uitvoerig op de hoogte zijn van de plannen van Greenpeace? Ik wist wel dat ze iets met de Sirius zouden gaan ondernemen tegen O.S.N., maar dat was dan ook alles. Gelukkig, beste Van Kulke," vervolgt Schuymer, terwijl hij zich naar Van Kulke buigt, „gelukkig heb ik Kraaieman ingehuurd voor meer informatie daarover. En zie, die is nog maar drie dagen voor me bezig en boekt meteen al resultaat. Zo zie ik dat graag. Welnu, Kraaieman, je kost me een vermogen, maar je bent het waard. Vertel me eens, hoe ben je aan die informatie gekomen?"

„Tja, ik begon natuurlijk bij het begin," schept Kraaieman op. „Afgelopen maandag ben ik naar de Sirius gegaan en heb ik die lieden aan boord verteld dat ik journalist was. Ik zei dat ik een stukkie over Greenpeace wou schrijven. Helaas, ze geloofden me niet en gooiden me bijna van het schip af. Toen heb ik maar gewacht op de kade, want je weet maar nooit. En kijk, het was blijkbaar m'n daggie, want daar stapte een zootje scholieren uit een Greenpeace-bussie aan boord. Ik kon ze duidelijk horen praten. Ze vroegen de kapitein en andere bemanningsleden honderduit. Dus ik dacht bij me eigen: die ga ik straks maar effe achterna. Ze kenne wel eens meer weten as ik. Nou, dat klopte. De volgende dag hebben ze voor hun school op zeer luidruchtige wijze een Greenpeace-club opgericht. Ze waren zo druk bezig met zichzelf en met Greenpeace dat het een koud kunstje was hen ongemerkt te achtervolgen.

Erik, Kees en Roy luisteren met ingehouden adem en gebalde vuisten naar het verhaal dat Kraaieman die deftige meneer zit te vertellen.

Wat zijn we toch stom bezig geweest, flitst het door Roy's hoofd. En wij maar denken dat alleen Wim en Erik ons hoorden. Nee, hoor, die varkenskop heeft alles afgeluisterd en meteen actie ondernomen. Roy schudt die gedachten van zich af en concentreert zich weer op wat zich in de huiskamer van Kraaieman afspeelt.

„Door dat kladblok van dat meissie te stelen," zo eindigt Kraaieman zijn betoog, „wist ik alles. Daarom heb ik u vanochtend onmiddellijk gebeld."

„Ja, inderdaad," zegt de heer Schuymer goedkeurend. „En daarom hebben we nu weer wat te bespreken. Zolang onze strijd tegen Greenpeace duurt, zolang zullen wij elke woensdag om vijf uur bij elkaar komen. Dat was de afspraak. Maar nu lijkt het er op dat onze eerste vergadering ook onze laatste zal zijn, want we hebben Greenpeace nu al in de val laten lopen. Ha, ha, ha, dat gebeurt nu eenmaal wanneer die apen van Greenpeace zich willen meten met mijn bedrijf O.S.N. 'Opgeruimd Staat Netjes' is ons devies. De O.S.N. B.V. dus. Ik heb jullie echter nog nodig," zo vervolgt Schuymer, „voor een smerig klusje. Zoals je weet, kan ik in mijn positie als direkteur van O.S.N. B.V. mijn handen niet vuil maken. Dat moeten jullie doen. Dus let goed op: er valt geld te verdienen. Ons schip Etna ligt momenteel in Antwerpen en wordt daar geladen met uiterst giftig chemisch afval. Er zit ook een partij dioxine bij die lading. Ik heb maar gedeeltelijk een vergunning om dat afval voor de kust bij Hoek van Holland te dumpen, maar er is veel meer afval aan boord dan is toegestaan. Bovendien mag dat dioxine-goedje al helemaal niet in zee gedonderd worden. Jullie begrijpen dat ik toch van die rommel af wil, want dat brengt geld in het laatje. De producenten van dat afval weten zelf ook niet hoe ze ervan af moeten komen en ze betalen O.S.N. er goed voor om die troep op te ruimen. We gaan dat aanstaande zondagochtend doen. Dan is er namelijk weinig controle van de kustwacht te verwachten." Even onderbreekt de heer Schuymer zijn verhaal. Argwanend kijkt hij om zich heen.

De drie Greenpeace-clubleden, die als standbeelden in de tuin gehurkt zitten, verstijven zo mogelijk nog meer. Ze durven elkaar niet eens aan te kijken, zo bang zijn ze dat ze zullen opvallen.

Gelukkig vervolgt Schuymer zijn verhaal. Hij kijkt naar zijn kornuiten en zegt: „Jullie zullen begrijpen dat ik geen pottekijkers kan gebruiken en zeker Greenpeace niet. Daarom laten wij de Sirius in de val lopen en heb ik Van Kulke vanochtend gevraagd onmiddellijk maatregelen tegen de Sirius te treffen. Van Kulke," gebiedt Schuymer uit de hoogte, „hoe staan de zaken?"

Erik, Kees en Roy luisteren met rode oren en open mond. Ze zien de zwarte man met de zonnebril opstaan en een soort landkaart uitvouwen.

„Kijk," zegt Van Kulke. „Dit hier is de plattegrond van de Antwerpse haven. Het schip Sirius kan nu elk ogenblik via de Zandvlietsluis binnenkomen. Vanochtend heb ik al met S.S.B., het zusterbedrijf van O.S.N. in Antwerpen," verduidelijkt hij tegenover Kraaieman, „geregeld dat, zodra de Sirius de sluis binnenvaart, er een veel kleiner schip van S.S.B. gaat saboteren. Dat bootje moet zo manoeuvreren dat er een botsing met de Sirius plaatsvindt. En daarbij moet het erop lijken dat de Sirius de schuldige is. Kijk, de Sirius zal niet zoveel schade oplopen, maar dat bootje van S.S.B. des te meer. Vervolgens zullen de schepen, nadat de politie-te-water een proces-verbaal heeft opgemaakt, naar Antwerpen varen. De sluis kan, in verband met het drukke vrachtverkeer, immers niet te lang gestremd blijven. Ondertussen doet de advocaat van S.S.B.

een aanvraag bij de rechter om beslag te leggen op de Sirius. De Sirius zal, zodra het schip heeft afgemeerd, aan de ketting worden gelegd. De advocaat van S.S.B. zal voor de rechter beweren dat het S.S.B.-schip zoveel schade heeft opgelopen dat S.S.B. de Sirius als tijdelijke borg wil vasthouden. Dat betekent dat de Sirius zeker de eerste weken niet uit Antwerpen weg kan. En als deze zaak echt voor de rechter komt, heeft de Etna haar lading allang gedumpt." Van Kulke kijkt de anderen vol trots aan voor hun reactie.

„Zo, dat is dus in grote lijnen het plan," zegt Schuymer verheugd. „Twee vliegen in één klap: de Etna kan ongestoord laden en dumpen en Greenpeace is haar schip kwijt, althans voor een poosje. En in elk geval krijgen ze hun schip niet terug voor zondag, de dag van de dumping. Ha, ha, ha, ik zal die schavuiten van Greenpeace eens leren. Als zakenman zou je niet eens meer je brood kunnen verdienen. Nou, dat zullen we dan nog wel eens zien. Luister goed, Van Kulke en Kraaieman: er komen in totaal drie vrachtwagens volgeladen met dioxine vanuit Duitsland naar Antwerpen. Zaterdagochtend komen de wagens aan en de vracht moet dan direct in de Etna worden overgeladen. De dioxine zit in vaten zonder opschrift. De kapitein en de bemanning van de Etna weten nog niets van deze extra lading af. Daarom gaan jullie zaterdagochtend ook naar Antwerpen en zorgen ervoor dat deze vaten aan boord van de Etna komen. Jullie zien er daarna op toe dat het boeltje zondagochtend vijftien mijl uit de kust van Hoek van Holland overboord wordt gezet. Jullie krijgen van mij een brief mee namens O.S.N., waaruit blijkt dat jullie inspecteurs van O.S.N. zijn en mogen meevaren. Is dat duidelijk, mannen?" De heer Schuymer kijkt hen nu een voor een aan. „Het spreekt voor zich dat ik jullie voor dit karweitje ruimschoots zal belonen."

Van Kulke en Kraaieman knikken ter bevestiging: het is hun wel duidelijk dat tweeduizend gulden voor twee dagen werken niet niets is.

Roy, Kees en Erik zien de heer Schuymer opstaan en horen hem met opgeheven hand tegen zijn handlangers zeggen: „Nog één ding. Ik wil niet dat we dit soort zaken op mijn kantoor bespreken. Er werken daar mensen die van deze extra handel niets hoeven af te weten. Het is mijn zaak en ook een beetje die van jullie. Dus mocht er onverhoopt een spaak in het wiel komen, dan is en blijft de Meeuwenweg 110 het adres voor samenkomst. En dat is alles, mijne heren. Ik moet er nu weer vandoor, want tijd is geld, zeg ik altijd maar. Tot kijk, Kraaieman, bedankt voor de gastvrijheid en ik zie je wel weer na de klus, voor de betaling."

De drie Greenpeace-clubleden zien Kraaieman en de andere twee mannen de huiskamer verlaten. Even staan ze met hun mond vol tanden, maar dan neemt Roy het woord. „Kom op," zegt hij. „We moeten snel weg."

Vlug verlaat het drietal met knikkende knieën de achtertuin, opgelucht dat ze weer weg kunnen van dat gevaarlijke huis.

„Ik begrijp er niet alles van," zegt Kees met een klein stemmetje als ze weer op straat lopen. „Dioxine, chemisch afval, dumpen, botsing met schip en wat was er nog meer?"

„S.S.B., Van Kulke en Schuymer, de huppelepup-sluis bij Antwerpen," vult Erik aan.

„Ja," mompelt Roy, „een merkwaardig verhaal. Sirius aan de ketting leggen, omdat dat andere schip schade zou hebben bij de botsing met de Sirius en ga zo nog maar even door. Dit gaat mijn verstand een beetje te boven."

„Dat kan wel zo zijn," merkt Erik heftig op. „Maar we hebben in ieder geval heel wat gehoord. Voor Greenpeace belangrijke dingen om te weten."

„Inderdaad," roept Kees. Hij voelt zich weer wat dapperder. „We moeten zo snel mogelijk met de mensen van Greenpeace gaan praten. We moeten ze inlichten over het gevaar dat de Sirius loopt."

„Daar heb je een telefooncel," wijst Roy. „Laten we het Greenpeace-kantoor bellen en zeggen dat we eraan komen met heel veel informatie. Misschien zijn Wim, Suzan en Maarten er ook nog."

Even later staat Erik in de cel en hoort hij opnieuw de vriendelijke stem aan de andere kant van de lijn: „Greenpeace, goedemiddag. Oh nee, ik bedoel goedenavond, want het is al zes uur geweest."

„U spreekt met Erik van Greenpeace. Nee, ik bedoel met Erik van de Greenpeace-club," stamelt Erik. „Zijn Wim, Suzan en Maarten nog bij u op kantoor?"

„Ja, hoor," zegt de man. „Ze zijn samen met onze mensen nog steeds bezig contact met de Sirius te krijgen."

„Wilt u ze dan zeggen," roept Erik opgewonden, „dat iedereen daar op kantoor moet blijven? We hebben heel belangrijk nieuws voor Greenpeace. En het is ook heel gevaarlijk. We komen er nu aan." Meteen gooit hij de hoorn op de haak.

Snel springen de jongens op hun fietsen en in een razend tempo rijden ze in de richting van het centrum, naar het Greenpeace-kantoor. Op de pont hebben ze ditmaal geen oog voor de sierlijke meeuwen en het geglinster van de zon in het water. Het lijkt wel of de pont er nu wel tienmaal zo lang over doet als op de heenweg, maar eindelijk zijn ze dan aan de andere kant van het water. Binnen vijf minuten staan ze hijgend voor de deur van het Greenpeace-kantoor.

HOOFDSTUK 6

Op het Greenpeace-kantoor

Ze horen een zoemtoon en geven een duw tegen de deur. Via een smalle steeg lopen ze naar de voordeur van het gebouw en gaan vervolgens de trap op naar de eerste verdieping. Bezweet en nog nahijgend staan ze in de ontvangstruimte.

Achter de balie waarop een bord met 'Receptie' staat, zit een man die vraagt: „Jullie zijn zeker Erik, Kees en Roy? Nou, jullie hebben vast heel wat te vertellen. Jullie klonken zo opgewonden door de telefoon. Loop maar gauw door naar boven, twee trappen op, daar is de campagneafdeling en daar zitten jullie vrienden ook. Willen jullie misschien een kopje koffie?"

Maar de Greenpeace-clubleden horen hem al niet meer en stormen de trappen op. Er is geen tijd te verliezen!

Op de campagneafdeling treffen ze Wim, Suzan en Maarten aan temidden van een viertal Greenpeace-mensen.

„We hebben verschrikkelijk slecht nieuws," roepen Erik, Kees en Roy tegelijkertijd. „De Sirius loopt gevaar!"

„De Sirius loopt gevaar?" vraagt nu een van de campagneleiders verbaasd.

Meteen beginnen Roy, Kees en Erik door elkaar heen te praten, zodat niemand er ook maar iets van verstaat.

„Wacht nu eens even," zegt een campagneman. „Niet zo gehaast, dan begrijpen we er niets meer van. Jullie vrienden hier vertelden ook al zo'n merkwaardig verhaal over gestolen notities en zo. Laten wij ons om te beginnen eerst aan elkaar voorstellen. Mijn naam is Han en ik doe de chemische campagnes van Greenpeace. Dit is Joke," zegt Han, terwijl hij een vrouw licht op de schouder tikt. „Joke bereidt acties voor ter bescherming van zeehonden. En dat is Bart," wijst hij naar een man die achter een computer zit. „Bart houdt zich bezig met nucleaire zaken. En de man die daar in de hoek zit, is David. Hij is verantwoordelijk voor de schepen van Greenpeace."

Erik, Roy en Kees rennen onmiddellijk naar David: „De Sirius loopt gevaar, de Sirius loopt in een val!"

„I'm sorry. I don't understand," zegt David, terwijl hij zijn schouders ophaalt.

Han komt tussenbeide en legt uit dat David een Schot is en geen Nederlands verstaat. Han vertelt ook dat David steeds contact probeert te leggen met de Sirius, maar dat dat tot nu toe niet is gelukt. „Terwijl David blijft proberen, moeten wij eens rustig met elkaar praten. Dat lijkt me het beste op dit moment."

Joke neemt hen mee naar een grote, ronde tafel waaraan de Greenpeace-clubleden samen met de drie echte Greenpeace-mensen gaan zitten.

„Wel," zegt Han met een diepe rimpel in zijn voorhoofd, „Suzan, Wim en Maarten hebben ons hun verhaal al verteld. Onze actieplannen tegen O.S.N. zijn in verkeerde handen gevallen. Dat is vervelend, misschien zelfs erg vervelend, maar dat de Sirius nu gevaar loopt, lijkt me wel wat overdreven. Vertel ons eens rustig, en één tegelijk alsjeblieft, wat er aan de hand is."

Erik, Kees en Roy vertellen om beurten alles wat ze in de tuin van Kraaieman hebben gehoord.

Wim, Maarten en Suzan staren hen gespannen aan. Wat een verhaal hebben ze te vertellen! Eén Kraaieman was al erg, laat staan drie van die schurken bij elkaar.

Han, Bart en Joke luisteren ook sprakeloos en hun gezichten beginnen er steeds zorgelijker uit te zien.

„Dat is niet zo mooi," fluistert Bart als de drie zijn uitverteld.

„Dat is helemaal niet zo mooi," voegt Joke eraan toe.

„Dat is zelfs verschrikkelijk," roept Han. Hij is immers chemisch-campagneleider en daardoor verantwoordelijk voor de acties tegen

O.S.N. Hij ziet de geplande acties al in rook opgaan: zonder de Sirius geen acties, zo simpel is dat.

„Waarom ging de Sirius eigenlijk naar Antwerpen? Wat zou het schip daar gaan doen?" vraagt Wim plotseling.

„Hè, wat?" schrikt Han op uit zijn overpeinzingen. „Wat de Sirius in Antwerpen zou gaan doen? Nou, heel eenvoudig. De Sirius zou al in de Antwerpse haven gaan demonstreren tegen het laden van chemisch afval in de Etna. Als dan zou blijken dat we dat niet zouden kunnen verhinderen, zou de Sirius de Etna achtervolgen tot op de Noordzee bij Hoek van Holland om daar alsnog te proberen het dumpen van het chemisch afval tegen te gaan."

„Door met rubberbootjes onder die vaten te gaan varen?" vraagt Suzan vol bewondering.

„Inderdaad," antwoordt Joke. En zich tot Han wendend: „Kop op, Han, misschien is er nog niets gebeurd en kunnen we de bemanning van de Sirius op tijd waarschuwen voor de valstrik."

Bart zegt: „De Sirius moet doodeenvoudig de Zandvlietsluis niet binnenvaren."

Ondertussen probeert David nog steeds de Sirius aan de lijn te krijgen.

Kees is bij hem gaan staan om te zien hoe David te werk gaat, maar er valt weinig aan te zien.

„Kun je gewoon opbellen naar het schip?" vraagt Kees aan Bart.

„Jawel," antwoordt Bart, „dat gaat via Radio Scheveningen. Je moet eerst het nummer bellen van Radio Scheveningen en de mensen daar vertel je dat je bijvoorbeeld met de kapitein van de Sirius wilt spreken. Je vraagt dan om een gesprek per satelliet en daarvoor moeten de mensen van Radio Scheveningen de positie van de Sirius weten, haar nummer en haar roepletters. Die letters zijn P.H.N.A., dat geef je door als Papa, Hotel, November, Alpha. Daarna leg je de hoorn neer en vervolgens word je zo spoedig mogelijk teruggebeld door Radio Scheveningen. Als het goed is, hebben ze de

Sirius aan de lijn en verbinden je door. Eigenlijk gaat het precies zo als met een gewoon telefoongesprek, alleen is zo'n verbinding behoorlijk wat duurder. Maar je hebt altijd een zeer duidelijke verbinding: het lijkt wel alsof degene met wie je praat, naast je staat."

„Het is wel vreemd," merkt Joke op, „dat we nu geen contact met de Sirius kunnen krijgen. Vanmiddag, toen het schip op de Noordzee voer, ging het heel gemakkelijk. We hebben al een paar keer met Ed en ook met Siebe gesproken. Gelukkig hebben we hun toen nog kunnen vertellen dat de geheime notities van Suzan waren gestolen en dat er wel eens informatie over de acties zou kunnen uitlekken. Ze maakten zich daar aan boord echter geen zorgen om."

„Alleen was Siebe wel kwaad dat wij zo onvoorzichtig waren geweest," moppert Maarten. „Ik heb ook nog even met hem mogen spreken," zegt hij gewichtig tegen Erik en Roy.

Han ijsbeert door het kantoor. Het verhaal van Erik, Roy en Kees zint hem helemaal niet. Hij is zo'n tijd bezig geweest uit te vinden wat O.S.N. voor een bedrijf is, welke lozingsvergunningen ze wel en niet hebben, wat voor chemisch afval er wordt gedumpt en wat de schadelijke gevolgen daarvan voor het milieu zijn. En nu blijkt dus dat O.S.N. Greenpeace al een tijdje in de gaten houdt. Han is vooral geschrokken van het nieuwtje dat O.S.N. ook dioxine dumpt: dioxine is een zeer zwaar vergif en als het in het milieu terechtkomt, is dat een regelrechte ramp.

Die meneer Schuymer van O.S.N. is wel een heel grote schurk, typisch een witte-boordencrimineel: een man die vanachter zijn bureau de ergste misdaden pleegt. Nee, Schuymer zal zijn eigen handen niet vuil maken. Die man heeft geld en juist daardoor kan hij nog meer geld verdienen: hij zet zijn mannetjes in en blijft zelf buiten schot. Opgeruimd Staat Netjes B.V. Ja, ja, maar als het moet, ruimen ze en passant ook de vissen en andere dieren op, die in zee leven. En misschien op den duur zelfs wel mensen. Brrr, Han griezelt ervan. Hij zal straks tegen die Greenpeace-clubleden zeggen dat het veel te gevaarlijk is hun neus in deze duistere zaken te steken.

Ja, inderdaad, Erik, Kees en Roy zijn echt door het oog van de naald gekropen. Stel je eens voor dat die boeven hen hadden ontdekt in de tuin. Wat zou er dan zijn gebeurd?

Plotseling ontstaat er een grote drukte op de campagneafdeling van het Greenpeace-kantoor. Iedereen snelt naar David.

„We hebben de Sirius aan de lijn," roept Joke opgetogen uit. Eindelijk is het zover.

David geeft de hoorn aan Han. „Here is Ed, Han," zegt hij.

Han zet onmiddellijk een knopje om op het telefoontoestel, zodat iedereen het gesprek kan volgen. „Hallo, Ed, dit is Han. Is er misschien iets gebeurd? We konden geen contact met jullie krijgen."

„Hoi, Han, met Ed. Of er wat is gebeurd? Nou, dat zou ik wel denken. Ik sta hier momenteel in een telefooncel op een kade van de Antwerpse haven. De Sirius ligt hier ook, we hebben net afgemeerd. De Etna van O.S.N. ligt een mijl verderop, aan de andere kant. Maar moet je luisteren: er is inderdaad iets heel vreemds gebeurd. In de Zandvlietsluis zijn we in aanvaring gekomen met een bootje van het bedrijf S.S.B. Ik weet echt niet hoe dat is gekomen, ineens lag die schuit voor onze boeg en klats, we zaten er bovenop. Ik gaf nog wel het commando 'op volle kracht achteruit', maar het was al te laat. De Sirius mankeert niet zoveel, maar van dat andere scheepje is weinig over. Het is met een sleepboot naar de haven gesleept. De Antwerpse rijkswacht-te-water is net bij ons aan boord gekomen en heeft gezegd dat ze de hele gang van zaken aan het onderzoeken zijn. Het schijnt zo gegaan te zijn dat de kapitein van dat S.S.B.-bootje aan de politie heeft verteld dat wij die botsing hebben uitgelokt in verband met een actie tegen S.S.B. En nu mogen wij de haven niet uit."

„Ed, moet je luisteren," zegt Han gejaagd. „Die botsing met dat bootje van S.S.B. is in scène gezet om de Sirius vast te houden in de Antwerpse haven. O.S.N. zit hierachter. Afijn, het is een heel verhaal. Kunnen jij en Siebe vanavond niet naar Amsterdam komen? Dan bespreken we de situatie hier op kantoor."

„Oké, Han," zegt Ed nadat hij even heeft nagedacht. „Ja, we kunnen vanavond toch niets meer doen en morgen waarschijnlijk ook niet. We komen eraan. Om een uur of elf kunnen we op kantoor zijn. Tot dan."

„Zo, dat was dat," zucht Han. „Tot zover is het plan van O.S.N. goed verlopen. Ik ben benieuwd naar het hele verhaal van Ed en Siebe. Dat wordt dus nachtwerk en voor jullie veel te laat," zegt hij tegen de Greenpeace-clubleden. „Wij zijn het wel gewend, maar jullie moeten maar gaan slapen. Het lijkt me verstandig dat Ed en Siebe morgen ook met jullie uitvoerig over deze zaak praten, want eerlijk is eerlijk: jullie waren eerder op de hoogte van de plannen van O.S.N. dan wij. Helaas is jullie waarschuwing te laat gekomen. Maar we geven ons niet zomaar gewonnen. Dat zal duidelijk zijn."

En zo verlaten even later zes teleurgestelde scholieren het Greenpeace-kantoor. Hun waarschuwing is te laat gekomen en eigenlijk is alles ook nog eens hun schuld.

„Het is al half acht," mompelt Maarten. „Ik ben veel te laat voor het avondeten."

„Nou ja, dat kan er ook nog wel bij," zegt Suzan moedeloos.

Ze groeten elkaar mat en springen op hun fietsen.

„Tot morgen op school," roept Wim nog tegen iedereen en niemand in het bijzonder.

HOOFDSTUK 7

Een gewaagd plan

De volgende dag op school lijken de lessen eindeloos lang te duren.

Maarten heeft vanochtend aan het ontbijt met zijn broer Siebe gesproken en de afspraak gemaakt samen met Ed, de kapitein, en de andere Greenpeace-clubleden om vier uur in het clubhuis bij elkaar te komen. Siebe en Ed zijn namelijk razend nieuwsgierig en willen zelf alles horen over de diefstal van de notities en het hachelijke avontuur van Erik, Kees en Roy in de achtertuin van Kraaieman.

Meneer Van Hulzen merkt dat een zestal leerlingen niet geheel bij de les is. Omdat de zes nogal bleekjes en serieus voor zich uit staren, besluit hij er geen aandacht aan te besteden. Er is iets wat hem daarvan weerhoudt.

„Kees," fluistert Roy, „ik kon gisteravond helemaal niet in slaap komen."

„Ik ook niet," zegt Kees. „Ik hoorde de hele tijd die bekakte stem van die Schuymer nagalmen."

Even kijkt de leraar in hun richting, daarna praat hij onverstoorbaar verder. Als de zoemer gaat, wijst hij zijn leerlingen opnieuw op het werkstuk dat ze volgende week moeten inleveren.

„Denk eraan, donderdag verwacht ik van iedereen een keurig werkstuk," zegt hij.

„Ik heb wel wat anders aan mijn hoofd," bromt Maarten, maar gelukkig hoort meneer Van Hulzen dat niet.

Eindelijk zitten de Greenpeace-clubleden dan toch samen met Ed en Siebe rond de vergadertafel op de woonboot.

„Rusteloos is wel een heel toepasselijke naam voor jullie clubhuis," buldert Ed van het lachen. „Er gebeurt hier inderdaad veel."

Siebe en Ed maken een ontspannen indruk, ondanks de gebeurtenissen in Antwerpen. Het is duidelijk dat de mensen van het Greenpeace-schip wel voor hetere vuren hebben gestaan.

Roy heeft bij gebrek aan beter zijn liniaal weer in zijn handen. Hij weet dat hij, nu Ed en Siebe er ook zijn, niet als voorzitter kan optreden. Daarom legt hij de liniaal maar weer op tafel. Laten Ed en Siebe de vergadering maar voorzitten, denkt hij.

„Zo, Suzan," zegt Siebe. „Stop jij dat notitieblok maar terug in je tas. Het lijkt me beter geen aantekeningen te maken van ons gesprek. Stel je voor dat de notities opnieuw worden gestolen!"

Met een rood hoofd doet Suzan haar kladblok weer in haar tas: ze vindt het dom van zichzelf dat ze bijna dezelfde fout had gemaakt als een paar dagen geleden. Nou ja, toen kon ze eigenlijk niet weten dat ze iets verkeerd deed, nu wel.

„Kom maar eens op met jullie verhaal," opent Ed de vergadering. „Siebe en ik willen alles weten over wat er de laatste dagen met jullie Greenpeace-club is gebeurd. Wie begint?"

Wim steekt van wal en vertelt over de nacht van de inbraak. Hoe hij Kraaieman heeft zien wegrennen, met, zoals later zou blijken, de aantekeningen van Suzan. En dat de inbreker diezelfde kerel was met wie de anderen de middag voor de diefstal in aanvaring zijn gekomen. Wanneer Wim erover praat, voelt Erik zijn oor weer gloeien.

Dan neemt Kees het woord en vertelt over de gevonden portefeuille en hoe ze achter de naam van de inbreker zijn gekomen.

Roy besluit het relaas en vertelt in geuren en kleuren over hun belevenissen in Kraaiemans tuin. Hierop is het een tijdje stil aan tafel.

Siebe zegt met een ernstig gezicht: „Weten jullie wel dat jullie een heel groot risico hebben gelopen? Die Kraaieman, Van Kulke en Schuymer zijn zeer gevaarlijke kerels, ze deinzen nergens voor terug. Het had voor hetzelfde geld slecht met jullie kunnen aflopen."

„Dat is waar," beaamt Ed, „maar jullie zijn wel moedig."

„En goede detectives," vult Siebe aan.

De Greenpeace-clubleden glimmen van trots. Ze kunnen onderhand wel een schouderklopje gebruiken, want ze hebben nog steeds het idee dat alleen zij de oorzaak zijn van de situatie waarin de Sirius zich bevindt.

„Zijn jullie dan niet boos op ons?" vraagt Suzan verbaasd. „Per slot van rekening zijn wij zo dom geweest jullie actieplannen te laten uitlekken."

„Ach, welnee," zegt Ed. „Daar kunnen jullie toch niets aan doen. Misschien hadden wij wel wat voorzichtiger moeten zijn met onze antwoorden op de vragen die jullie bij het bezoek aan de Sirius stelden."

De zes jonge detectives halen opgelucht adem.

Dat is nou eens tof van die kapitein Ed om dat zo te zeggen, denkt Roy.

De kapitein doet er nog een schepje bovenop: „In zekere zin hebben jullie Greenpeace en heel veel mensen in Nederland een grote dienst bewezen, want wij weten nu dat O.S.N. zondag een flinke hoeveelheid chemische troep gaat dumpen in de Noordzee. Bovendien gaan ze vaten met het dodelijke dioxine aan de vissen voeren."

„En alles is een weet, maar vlooien vangen een gauwigheid," zegt Siebe.

„Wat heeft vlooien vangen er nou weer mee te maken," knort Maarten.

„Dat is een uitdrukking, broertje. Het betekent dat je alleen iets kunt doen, als je weet waaraan je iets moet doen," legt Siebe glimlachend uit.

„En dat is dus actie voeren tegen O.S.N.," merkt Erik op.

„Zonder schip zeker," roept Wim afkeurend.

„Zonder... en met schip," antwoordt Ed geheimzinnig.

„Jullie spreken in raadsels," zegt Roy een beetje verbolgen, terwijl hij de neiging voelt opkomen met zijn liniaal op tafel te gaan slaan. De andere Greenpeace-clubleden begrijpen er ook weinig meer van.

„Gaan jullie dan een ander schip huren?" roept Kees uit boven het tumult dat aan tafel is losgebarsten.

„Wel nee," zegt Ed rustig. „We hebben toch de Sirius!"

„Maar die ligt vast in de haven van Antwerpen," roept heel de club in koor. De verwarring is compleet.

Totdat Siebe zijn stem verheft en tegen Ed zegt: „Laten we het raadsel maar voor hen oplossen, Ed."

„Inderdaad," knikt Ed, „maar eerst zullen we proberen antwoord te geven op andere vragen, die jullie ongetwijfeld hebben. Daarna zullen Siebe en ik jullie iets laten zien, zodat jullie misschien zelf het raadsel kunnen oplossen."

„Ja," zegt Kees, „Erik, Roy en ik hebben wel een heleboel gehoord in de tuin van Kraaieman, maar we begrepen er niet alles van. Dat bootje, waarmee de Sirius in aanvaring is gekomen, is van S.S.B. Maar wie of wat is S.S.B. en wat heeft het allemaal te maken met O.S.N.?"

„Dat zijn twee vragen in een, waarop ik wel een antwoord kan geven," zegt Siebe langzaam. Ed en hij genieten van het enthousiasme van de clubleden en willen daarom de spanning nog wat opvoeren. „S.S.B. is," zo vervolgt hij, „de afkorting van de naam van een bedrijf dat in Antwerpen is gevestigd. De letters staan voor: Super Schoonmaak Bedrijf. Maar je kunt het ook Schuymers Schoonmaak Bedrijf noemen, want die fijne meneer Schuymer heeft er een grote vinger in de pap. S.S.B. is eigenlijk een club, net als jullie. Kijk, onder de paraplu van S.S.B. zitten drie bedrijven die giftig chemisch afval in zee dumpen. Een van die bedrijven is dus O.S.N. De andere twee staan in Engeland en Frankrijk. Omdat ze alle drie exact hetzelfde werk doen, hebben ze zich verenigd in

S.S.B. Om samen te werken, als je begrijpt wat ik bedoel. De aanvaring met de Sirius is nu zo'n vorm van samenwerking. Als het nodig is, helpen die drie bedrijven elkaar."

„Hoe is het nu toch mogelijk dat de politie de Sirius verbiedt uit de Antwerpse haven te vertrekken?" vraagt Roy een beetje boos. „Die aanvaring met dat bootje was toch zeker de schuld van S.S.B.?"

„Op die vraag," zegt Ed, „kan ik alleen maar een tamelijk ingewikkeld antwoord geven. Kijk, het zit zo. De kapitein van het S.S.B.-schuitje heeft de Belgische politie verteld dat de Sirius de aanvaring veroorzaakte om op die manier te protesteren tegen de afvaldumpingen van de drie bedrijven die bij S.S.B. zijn aangesloten. Ik heb, als kapitein van de Sirius, de politie laten weten dat het bootje van S.S.B. de botsing moedwillig uitlokte en dat wij van plan waren in de haven van Antwerpen vreedzaam te demonstreren tegen het laden van chemisch afval in de Etna."

„De politie gelooft jullie toch zeker wel?" barst Suzan uit. „Wat is de kapitein van het S.S.B.-bootje een grote leugenaar, zeg."

„Daar heb je wel gelijk in, Suzan," beaamt Siebe. „Wij weten nu wel hoe het in werkelijkheid is gegaan, dankzij het afluisteren door Roy, Kees en Erik bij Kraaieman thuis. De politie weet dat natuurlijk niet en moet dus uitzoeken hoe de vork in de steel zit, met andere woorden, hoe de botsing is ontstaan. Dat uitzoeken kost tijd en daarom mag de Sirius tijdens het onderzoek de haven niet verlaten. Ed heeft morgen weer een gesprek met de Antwerpse rijkswacht."

„Nou," zegt Kees plotseling zeer strijdlustig, „dat komt dan mooi uit. Jullie willen demonstreren tegen de Etna en die ligt ook in de haven van Antwerpen. De Sirius hoeft daarom de haven niet uit en kan toch actie voeren!"

„Helaas, helaas," zucht Ed. „Ook dat kunnen we niet doen, want de advocaat van S.S.B. heeft inmiddels aan de rechter gevraagd voorlopig beslag te mogen leggen op de Sirius, omdat hij wil dat Greenpeace de schade aan de boot vergoedt."

„Beslag leggen op, wat is dat nu weer?" bromt Maarten. „Betekent dat dat S.S.B. de Sirius ook kan vasthouden, net als de politie?"

„Precies, Maarten," zegt Siebe. „Zo is het. Bij beslaglegging, of het schip aan de ketting leggen, zo wordt dat namelijk ook wel genoemd, mag de Sirius niet eens van haar ligplaats. Dus protesteren tegen de Etna kunnen we ook wel vergeten."

„Maar geeft de rechter daar dan toestemming voor?" vraagt Wim verbaasd. De vader van Wim is advocaat en daarom begrijpt Wim het ingewikkelde verhaal van Ed en Siebe beter dan de anderen. Soms hoort hij zijn ouders wel eens over dergelijke zaken spreken.

„Misschien wel en misschien niet," antwoordt Ed, „maar waarschijnlijk wel. Je moet zo denken: de politie is nog met het onderzoek naar de oorzaken van de botsing bezig. Wie schuldig is aan het ongeval staat daarom officieel nog niet vast. Maar één ding is wel zeker: het bootje van S.S.B. heeft schade opgelopen en daarom zal de rechter voorlopig de Sirius aan de ketting laten leggen. Voorlopig, want de echte rechtszaak moet nog komen. Dat kost tijd en dat is precies wat O.S.N. wil, namelijk: geen last hebben van de Sirius, zodat zij hun levensgevaarlijke lading in alle rust kunnen dumpen. En het ziet er helaas naar uit dat ze volledig zullen slagen in hun opzet."

„Ja," zegt Wim wijsneuzig, „mijn vader zegt wel eens: gelijk hebben is niet voldoende, want je moet ook gelijk krijgen. Daar gaat het om."

„En daar verdienen advocaten hun geld mee," merkt Erik spits op.

Iedereen moet om Eriks opmerking lachen, behalve Wim, die voelt zich enigszins aangesproken.

Roy heeft inmiddels toch zijn liniaal gepakt en als de lachers tot bedaren zijn gekomen, slaat hij ermee op tafel. „Ahum, beste clubleden," begint hij verlegen. „Dan is nu het moment aangebroken Ed en Siebe te vragen wat zij precies bedoelen met hun raadsel. De Sirius ligt vast in de Antwerpse haven en toch willen ze met de Sirius actie voeren tegen O.S.N. Ra, ra, hoe kan dat?"

„Ik weet het," zegt Suzan plotseling, nadat het even stil is geworden aan tafel. „De Sirius moet ontsnappen. Gewoon wegvaren."

Dan breekt de hel werkelijk los in het clubhuis.

Zelfs Wims hond Boy loopt opgewonden en heftig snuivend het clubhuis binnen.

Roy slaat zo hard met zijn liniaal op tafel dat de meetlat breekt. Snel en ongemerkt schuift hij de stukken van tafel.

„De Sirius moet ontsnappen, dat is de oplossing van het raadsel," zegt Ed met stemverheffing. „Suzan slaat de spijker op z'n kop. In de nacht van zaterdag op zondag zal de Sirius uit Antwerpen ontsnappen!"

Siebe duikt onder de tafel en haalt uit zijn tas een plattegrond van de Antwerpse haven. Hij slaat de map open en spreidt hem uit over de tafel.

De Greenpeace-clubleden zien een ingewikkelde tekening van inhammen, sluizen, kanalen en bruggen. De ligplaats van de Sirius is met een kruisje aangegeven. De plaats van de Etna, het dumpschip van O.S.N., is met een potloodstreep gemerkt en ligt een paar inhammen verder aan de andere kant.

Ed legt uit: „Even voor de ligplaats van de Sirius zien jullie de Zandvlietsluis. Door deze sluis en via de Schelde komen de schepen op de Westerschelde en die mondt weer uit in de Noordzee. Het is in feite de enige route die de Sirius kan nemen. Het is de normale scheepvaartroute van en naar Antwerpen voor zeeschepen. Maar de sluiswachters zullen de Sirius geen doorgang verlenen. Of, zoals dat in zeevaarttermen heet: ze zullen de Sirius niet schutten. Die route kunnen we dus wel vergeten, maar er is nog een andere mogelijkheid, waaraan niemand snel zal denken. De sluiswachters niet, de politie niet en ook O.S.N. of S.S.B. niet. Dat is namelijk precies de andere kant op: via het Schelde-Rijnkanaal, de Oosterschelde en dan weer de Noordzee op.”

„Inderdaad,” vult Siebe aan. „Dat is een route waar niemand ons verwacht. Vlak voor het Schelde-Rijnkanaal en ook verderop zijn vaste bruggen. De doorvaarthoogte is er niet hoger dan 9,1 meter à 9,2 meter, en de Sirius is 19 meter hoog. Dus eigenlijk kan de Sirius deze route niet nemen, maar we doen het toch. Dat is het onverwachte, hè?”

„Je praat weer in raadsels,” moppert Maarten. „Als de bruggen te laag zijn, kan de Sirius er toch niet onderdoor?”

„Dat klopt,” zegt Siebe rustig. „Dat geldt voor de situatie zoals die nu is. Maar daar gaan we wat aan veranderen en dat is de clou van ons verhaal.” Siebe kijkt de kring rond en wacht even. Dan zegt hij: „Als we de mast van de Sirius afhalen, kan het schip net, maar dan ook maar nèt onder de bruggen door. We hebben dan nog één of twee decimeter speling.”

Ed en Siebe zwijgen even om de clubleden de kans te geven alles rustig op zich te laten inwerken.

„Kun je de mast dan strekken?” vraagt Roy. Hij herinnert zich opeens weer allerlei dingen die hij vorige zomer bij een zeilcursus heeft geleerd.

„Nee,” antwoordt Ed. „De mast van de Sirius weegt ongeveer twaalfhonderd kilo en zit vast. We moeten de mast daarom met snijbranders doorlassen en dan voorzichtig kappen. Dat is een zwaar en heel secuur werk. Bovendien hebben we niet zoveel tijd, want binnen twintig minuten moet het karwei zijn geklaard. Dan hebben we namelijk nog maar tien minuten om onder de eerste brug door in Nederlands vaarwater terecht te komen en daar kan de Belgische politie ons niet meer tegenhouden.”

„Het moet dus allemaal snel gebeuren,” vervolgt Siebe, „als we te lang bezig zijn, kan de Belgische politie of O.S.N. annex S.S.B.

alarm slaan en dan is alles voor niets geweest. Het wordt een moeilijke klus en het kan gemakkelijk mislukken. Maar die niet waagt, die niet wint. En als het lukt, wachten ons nog twee obstakels, namelijk de Kreekraksluizen, die het Schelde-Rijnkanaal en de Oosterschelde scheiden, en de Roompotsluis bij de Oosterscheldedam. Maar deze sluizen liggen op Nederlands grondgebied. Greenpeace heeft een goede naam bij de Nederlandse scheepvaartmensen en bovendien kent Ed de sluiswachters daar persoonlijk. We mogen verwachten dat die sluiswachters de Sirius wel doorlaten. Maar niets is zeker, natuurlijk."

„Ja, niets is zeker," neemt Ed het woord van hem over. „Eén ding staat wel vast: als de ontsnapping lukt, is er een bedrijf in Nederland dat lelijk op zijn neus zal kijken, want op weg naar Amsterdam zal de Sirius voor de kust van Hoek van Holland, zo'n vijftien mijl uit die kust, schat ik, actie kunnen voeren tegen de Etna, dus tegen O.S.N."

Ademloos hebben de zes clubleden geluisterd naar het verhaal van Ed en Siebe. Het is wel duidelijk dat dit plan gisteravond laat nog op het echte Greenpeace-kantoor is ontstaan en uitgewerkt. Het is een gewaagd plan, het is zo klaar als een klontje en het mag absoluut niet uitlekken, dat zou rampzalig zijn voor de ontsnapping.

Het lijkt wel of Ed hun gedachten raadt, want plotseling zegt hij: „Jullie begrijpen dat we alles kunnen vergeten als dit plan bij anderen bekend wordt."

„Ik heb geen notities gemaakt, hoor," roept Suzan onmiddellijk.

„We zullen zwijgen als het graf," belooft Erik.

De anderen knikken heftig.

„Toch hebben wij een beter idee," fluistert Siebe geheimzinnig. „Om er helemaal zeker van te zijn dat jullie je mond zullen houden of niet weer tegen Kraaieman aanlopen, nemen we jullie mee!"

„Ja," voegt Ed er snel aan toe. „Door jullie weten we van die smerige dioxine-plannen van O.S.N. Daarom horen jullie er echt bij. Ik ga morgen terug naar Antwerpen, maar Siebe zal nog wat gereedschap moeten kopen. Hij neemt jullie zaterdagmiddag met de Greenpeace-bus mee naar Antwerpen, naar de Sirius. En voordat jullie je zorgen gaan maken om niets: we hebben vandaag al toestemming gevraagd aan jullie ouders. Jullie mogen ook van hen mee."

Een luid gejuich stijgt op uit het drijvende clubhuis.

Boy begint te blaffen, Wim en Erik springen bijna op tafel, Kees en Roy schreeuwen: „Aanvallen!" Suzan en Maarten maken een dansje met elkaar. Wie had dat ooit kunnen denken?! Nog maar twee dagen geleden is de Greenpeace-club opgericht en nu al mogen ze met de Sirius meevaren. Wat heet, met de Sirius ontsnappen en actie voeren tegen O.S.N.!

Nadat de gemoederen weer wat zijn bedaard, sluit Ed de vergadering. Roy ziet dat Ed met een halve liniaal een tikje op de tafel geeft en zegt: „En nu allemaal naar huis en vroeg naar bed, want jullie moeten zaterdag goed uitgerust naar Antwerpen komen."

Die Ed heeft ook alles in de gaten, denkt Roy, terwijl hij naar de halve liniaal kijkt, en dat is eigenlijk maar goed ook. Hij is per slot van rekening kapitein van de Sirius!

HOOFDSTUK 8

De Sirius ontsnapt!

De volgende dag is voor de Greenpeace-clubleden zenuwslopend. Op school kunnen ze zich absoluut niet concentreren en de leraren die ze die dag hebben, moeten hen bij herhaling waarschuwen.

Maarten heeft verteld dat Siebe de hele dag bezig zal zijn met het kopen van gereedschap dat voor de ontsnapping nodig is. Ja, Siebe kan zich in elk geval al richten op het grote moment, terwijl zij zich nog een dag moeten buigen over wiskunde, scheikunde, Engels en Nederlands. Maar ook aan deze schooldag komt ten slotte een eind.

Op het plein voor de school fluisteren de zes nog even na over het gewaagde plan, voorzichtig als ze zijn geworden na de afluisterpraktijken van Kraaieman.

Siebe heeft aan Maarten gevraagd tegen de anderen te zeggen dat ze zaterdagmiddag om drie uur op het schoolplein moeten zijn. Hij zal hen daar met de Greenpeace-bus oppikken.

„Onderweg zullen we de vluchtroute inspecteren," zegt Maarten, „en om acht uur 's avonds moeten we aan boord van de Sirius zijn. Dan hebben we een laatste bespreking. De operatie 'ontsnapping' zal precies om twee uur 's nachts plaatsvinden. Als de ontsnapping lukt, is er nog genoeg tijd over om zondagochtend in de buurt van Hoek van Holland te zijn voor de grote confrontatie met O.S.N."

„Spannend," zegt Suzan. „Ik hoop dat die zogenaamde O.S.N.-inspecteurs Van Kulke en Kraaieman overboord vallen, in plaats van die vaten dioxine."

Zaterdagmiddag om twee uur zijn Kees en Roy als eersten op het schoolplein. Er staat een stevige bries die hun haren doet wapperen in de wind.

„Ben jij wel eens met een schip op zee geweest, Kees?” vraagt Roy.

„Nee, dit wordt de eerste keer,” zegt Kees. „Tenminste, als de ontsnapping lukt.”

„Ik ook niet,” zegt Roy. „Ik hoop wel dat de wind wat gaat liggen, want anders worden we misschien allemaal zeeziek.”

„Ja, luister eens,” roept Kees zenuwachtig, „we zijn nu echte Greenpeace-actievoerders. Dus zeeziek kunnen we eenvoudig niet worden. Mijn moeder heeft me een enorm pak boterhammen meegegeven. Ze zegt dat als je goed eet, je minder kans loopt misselijk te worden.”

Dat zal Roy onthouden en hij pakt meteen een broodje, want ook zijn moeder heeft hem brood meegegeven.

Na een tijdje komen Suzan, Erik en Wim bij de school aan. Blijkbaar hebben alle moeders gezorgd dat ze goed te eten krijgen, ze hebben allemaal een flinke stapel boterhammen bij zich!

Daar komen Siebe en Maarten met de Greenpeace-bus aanrijden.

Maarten roept met een rood hoofd vanuit het portierraam dat de Sirius inderdaad aan de ketting is gelegd.

„Dus toch,” roepen de anderen.

En ieder voor zich denkt: dan moet de Sirius wel ontsnappen.

Als ze zijn gestopt, vertelt Maarten dat Ed gistermiddag nog met Siebe heeft getelefoneerd.

De Greenpeace-bus is enigszins veranderd: de naam 'Greenpeace' en de regenboog zijn met blauwe verf overgeschilderd en daardoor niet meer zichtbaar.

„Ik zie dat de Sirius-bemanning compleet is,” grinnikt Siebe. „Stap dan maar in, we hebben nog een lange weg te gaan naar Antwerpen.”

„Hoi, Joke, ga je ook mee naar de Sirius?” begroet Roy de campagnemedewerkster van het Greenpeace-kantoor.

„Nou,” zegt Joke, „ik ga mee tot de haven en dan neem ik de

bus mee terug naar Amsterdam, naar het kantoor. Han, Bart en ik zullen daar het hele weekend zijn om eventueel bij te springen als er iets gebeurt met jullie of de Sirius."

Dan zet de Greenpeace-bus zich in beweging, op weg naar het grote avontuur.

„Waarom heb je de regenboog en de naam 'Greenpeace' van de bus gehaald, Siebe?" vraagt Suzan.

„Omdat niemand hoeft te weten dat wij van Greenpeace zijn. De ontsnapping moet geheim blijven en dus is het niet verstandig met een bus rond te rijden waarop met koeieletters 'Greenpeace' staat. Als alles voorbij is, schilderen we de naam en de regenboog er gewoon weer op."

Tijdens de lange rit moeten Siebe en Joke nog heel wat vragen beantwoorden. Na alle informatie die de clubleden donderdag te horen hebben kregen, heeft een ieder op zijn of haar eigen manier de stukjes van de legpuzzel aan elkaar gelegd, maar helemaal duidelijk is het nog niet voor iedereen. Siebe en Joke gaan overal geduldig en uitvoerig op in.

Na Bergen op Zoom wordt Siebe wat zenuwachtiger. „We komen nu in het gebied van de vluchtroute," zegt hij. „Achter deze dijk," wijst hij, „ligt de Oosterschelde. Zo komen we bij de Kreekraksluizen en dan zullen we de weg volgen langs het Schelde-Rijnkanaal. We moeten vooral letten op de doorvaarthoogte van de bruggen. Dat is heel belangrijk, omdat de hoogten van de bruggen een beetje van elkaar verschillen."

De weg loopt over de dijk, zodat ze in de verte de Kreekraksluizen kunnen zien liggen. Even verderop doemen, vlak naast elkaar, de eerste bruggen op.

„Dit kan een probleem worden," mompelt Siebe in zichzelf.

„Hoezo?" vraagt Erik verwonderd. De beide bruggen lijken hem hoog genoeg.

„Kijk," verduidelijkt Siebe, „de eerste brug is een verkeersbrug.

Maar de tweede, dat is een spoorbrug en die is wat lager."

Nu Siebe het zegt, zien de clubleden inderdaad enig verschil.

„Vergeet niet," vervolgt Siebe, „dat we over decimeters praten. Zo op het oog zou de spoorbrug wel eens een obstakel kunnen vormen. Van de andere kant kan de Sirius er ook onderdoor met slechts een centimeter speelruimte. We zullen zien."

Een paar kilometer verder passeren ze nog een verkeersbrug, waar Siebe weinig aandacht aan schenkt. Plotseling stopt de bus en Siebe vertelt dat ze nu op de grens van Nederland en België staan.

„Hé, wat gek," roept Wim uit. „Ik zie helemaal geen slagbomen of een grenspost."

„Nee, dat klopt," zegt Siebe. „De grensposten zijn opgeheven en daarom zijn die bomen ook weg. Tussen Nederland en België en ook Luxemburg bestaat vrij verkeer van goederen en personen."

„Maar hoe kun jij dan zien dat we op de grens staan?" vraagt Maarten aan zijn broer.

„Aan dat bord aan de kant van de weg," wijst Siebe. „Het staat wat verscholen tussen het struikgewas. We betreden dus nu Belgisch grondgebied, hierna moeten we nog een brug inspecteren en dan gaan we linea recta naar de Sirius."

Bij de laatste brug, dus de eerste vanaf Antwerpen, legt Siebe uit dat die brug naar een industrieterrein leidt, waar ook S.S.B. zijn kantoor heeft. „Als de ontsnapping slaagt, varen we voor de ogen van de vijand langs," lacht hij.

De clubleden zien de humor er wel van in en glimlachen.

Tien minuten later zijn ze al midden in de Antwerpse haven. Links en rechts liggen grote zeeschepen aan de kade. Deze haven is een stuk groter en ook een stuk drukker dan die van Amsterdam. Ze slaan een hoek om en rijden recht op de Sirius af.

Ogenschijnlijk is er niets aan de hand met het schip. Er lopen een paar mensen op het dek rond, met een verfkwast in de hand.

Het dagelijkse leven aan boord van het schip gaat zijn normale gangetje. Nergens kun je aan zien dat het schip aan de ketting ligt.

De Greenpeace-clubleden en Siebe nemen afscheid van Joke, die meteen achter het stuur gaat zitten en aan de terugreis begint.

„Welkom aan boord, detectives," zegt Ed, de kapitein, wanneer ze de loopplank opgaan. „Ik zie het al: genoeg proviand meegekregen van de moeders. Dat was natuurlijk niet nodig geweest, we hebben hier een heel goede kokkin, Emmy. Als je alles zou moeten opeten wat zij heeft ingeslagen, word je niet misselijk van zeeziekte maar van te veel eten. Ha, ha, ha. Siebe, wijs jij deze landrotten hun hut en kooi even, dan kunnen ze zich rustig installeren. En, jongens," zo vervolgt hij, „even voor de goede orde: het is nu kwart over zeven. Om acht uur precies hebben we de laatste bespreking in de messroom. Daarbij moeten jullie present zijn. Tot dan!" Met grote passen beent Ed weg.

Als ze in hun hutten zijn, weten de clubleden niet wat ze zien. Ze zijn ondergebracht in twee vierpersoonshutten. Aan beide kanten bevinden zich stapelbedden met aan het hoofd- en voeteind een gleuf in de wand.

„Bij zware storm kun je daar een slingerlat in leggen, zodat je niet uit bed rolt," legt Siebe uit. „Eventueel kun je schuin onder het matras een reddingsvest leggen, zodat je muurvast komt te liggen en niet bij elke golf tegen de lat aan wordt geslingerd. En als er wat gebeurt, heb je het reddingsvest alvast bij je!"

De hutten zijn helemaal onder in het ruim. Ze zullen hun hutten delen met Siebe en Mieke, de machiniste. Er zijn geen patrijspoorten en als het licht niet brandt, is het er pikdonker. Vlug pakken de clubleden hun spullen uit en kiezen een kooi. Dan gaan ze naar boven om kennis te maken met de mensen aan boord.

Om klokslag acht uur is iedereen aanwezig in de messroom. Daar merken de zes dat ze de meeste bemanningsleden nog niet hebben ontmoet.

„Beste mensen," zo begint Ed de bespreking, „in de eerste plaats wil ik jullie even voorstellen aan onze bijzondere gasten. Roy, Erik, Wim, Kees, Maarten en Suzan vormen samen een Greenpeace-club en hebben Greenpeace een grote dienst bewezen. Door hun inspanningen weten we dat O.S.N. een heleboel vaten dioxine in zee wil kieperen."

Maar Ed hoeft niet eens zoveel te vertellen, want het werk van de clubleden is iedereen inmiddels bekend. Vriendelijk knikken de bemanningsleden hen toe.

Vervolgens stelt Ed de andere bemanningsleden voor. Dikke Harald, een Duitser. Hij is zeer bedreven in het varen met rubberbootjes. David, de Schot die ze al kennen van het Greenpeace-kantoor, Mieke, de machiniste en Marco, de radio-operateur. Tony, een cameraman uit Engeland, die de hele ontsnapping en de actie tegen O.S.N. zal filmen, Emmy, de kokkin, Gijs, die de technische leiding van de ontsnappingsoperatie heeft, en ten slotte Jos, de lasser. Te zamen met Ed en Siebe vormen zij de volledige bemanning van de Sirius.

„Waarom is er behalve David niemand van het kantoor?" wil Suzan weten.

„Dat gebeurt niet zo vaak," legt Ed uit. „Alleen bij grote campagnes is er wel eens een campagneleider aan boord. Maar nu hebben we die kantoormannetjes niet nodig," grapt hij.

Dan neemt Gijs het woord en hij bespreekt nog eens tot in de kleinste details de werkzaamheden: „Om twee uur vannacht beginnen Jos en ik de steunen van de mast en de mast zelf door te branden. Op het breekpunt monteren we een scharnier waarlangs de mast kan vallen. David zal de kraan op het achterdek bedienen en zorgt ervoor dat door middel van de hijskabel de mast aan bakboord wordt opgevangen en langs de reling van de stuurhut en aan bakboord van de pijp wordt gedeponeerd. Zonodig helpt Harald hem hierbij. Ed en Siebe zijn in de stuurhut, want zodra Jos en ik beginnen met snijbranden, zal de Sirius al richting eerste brug gaan varen. We zullen binnen twintig minuten bij die brug aankomen, dus dan moet de mast zijn gekapt. Dat is de kritieke fase tijdens de operatie. Als we meer tijd nodig hebben voor de mast, geeft Marco dat direct door aan Ed en Siebe, zodat zij Mieke kunnen waarschuwen de scheepsmotoren langzamer te laten draaien en als dat nodig mocht zijn, de Sirius helemaal stil te laten liggen. We zullen dan hakbijlen gebruiken om de mast sneller te laten vallen. Zijn er nog vragen?"

Siebe steekt zijn hand op en zegt: „Gijs, ik heb gezien dat jullie de radar en de antennes al hebben weggehaald. Maar ik denk dat ook de kleine lichtmast van het topdek moet. Ik ben bang dat de spoorbrug anders net te laag zal blijken te zijn."

Gijs en Ed beraadslagen nu even met elkaar en dan geeft Gijs Jos de opdracht ook de lichtmast van het dak van de stuurhut te halen.

„Maar," voegt Ed eraan toe, „zodra we onder de bruggen door zijn, moeten de lichten er meteen weer op, want het is veel te gevaarlijk zonder waarschuwingssignaal te varen."

En zo loopt de bespreking ten einde. Tony zal overal met zijn filmcamera bij zijn om alles op de gevoelige plaat vast te leggen. Hij heeft de beschikking over een zogenaamde nachtcamera waarmee je in het donker kunt filmen.

„Als de klus is geklaard," zegt Emmy ten slotte, „zal er voor iedereen een stevige maaltijd klaarstaan. Zuurkool met worst. Als je wat anders wilt hebben, moet je maar in een restaurant gaan eten," lacht ze.

„De operatie ontsnapping is nu geregeld. Het is pas half tien, dus het wordt een kwestie van wachten. Ondertussen gaan de Greenpeace-clubleden naar hun kooi," gebiedt Ed, „het wordt een lange nacht. Om half twee maken we jullie wakker."

De spanning is te snijden: het grote avontuur gaat beginnen.

„Hé, jongens, wakker worden." In de hutten gaan de lichten aan en Siebe schudt iedereen wakker. „Kom op, uit je bed. De ontsnapping gaat beginnen."

„Maar het is pas half een," protesteert Erik, terwijl hij de slaap uit zijn ogen wrijft. „Dat is toch veel te vroeg?"

„Jawel," legt Siebe uit, „maar we hebben het plan moeten veranderen. In de eerste plaats heeft Gijs bijgehouden om de hoeveel tijd er een politieauto langskomt ter controle en dat is om het hele uur. Om elf uur zijn ze nog geweest. We beginnen in plaats van om twee uur nu even na enen met de werkzaamheden. En in de tweede plaats is zojuist de Etna gepasseerd. Het schip is volgeladen op weg naar Hoek van Holland en als we op tijd bij de dumpplek willen zijn, moeten we zo snel mogelijk vertrekken. De Sirius vaart wel wat sneller dan de Etna, maar wij moeten eerst hier weg en dan nog een omweg maken. Dus vooruit met de geit, iedereen uit de kooi."

Vlug springen ze uit hun bedden. Als bij toverslag is de slaap verdwenen. Ze zijn met kleren aan gaan slapen om zo snel mogelijk klaar te zijn.

„Hallo, Maarten," roept Kees. „Waar blijf je nou? Straks mis je het grote avontuur."

Maarten is wel wakker en ook aangekleed, met sportschoenen en al, maar hij kan zijn kooi niet uit: vastgeklemd tussen reddingsvest en slingerlat aan de ene kant en de scheepswand aan de andere, kan hij geen vin verroeren.

„Wel allemachtig, broertje," roept Siebe. „Wat spook je nu weer uit? Het lijkt wel of we midden in een vliegende storm in volle zee zitten, in plaats van rustig in de haven."

„Ik wilde alleen maar eens meemaken hoe het ligt met slingerlat en zo," sputtert Maarten tegen. Eigenlijk was hij bang van het smalle bed naar beneden te tuimelen, want natuurlijk wilde hij in het bovenste bed liggen, maar dàt vertelt hij niet. Vlug wordt Maarten bevrijd uit zijn benarde positie en binnen twee minuten staan ze allemaal aan dek.

„Hoi, landrotten," begroet Ed hen. „Voordat het spel gaat beginnen, heb ik eerst nog een cadeautje voor jullie. Hier zijn reddingsvesten en die gesp je nu aan," gebiedt hij. „Zolang jullie aan boord van de Sirius zijn, houden jullie ze aan. En dat is een order."

De clubleden kijken Ed verwonderd aan, terwijl ze de vesten aandoen. Zo streng hebben ze hem nog niet meegemaakt. Je kunt wel merken dat hij gewend is orders te geven.

„En nu iedereen naar de messroom," vervolgt Ed, „we moeten ons even koest houden."

In de messroom zijn alle bemanningsleden aanwezig. Er brandt slechts een flauw licht. Gijs gebaart dat iedereen moet gaan zitten.

Het is inmiddels tien minuten voor één en de patrouillewagen van de politie kan elk moment langskomen. Ze kijken gespannen door de patrijspoorten naar de kade. Die ligt er donker en verlaten bij; het is zwaar bewolkt, zodat er geen maneschijn doordringt. Vaag onderscheiden ze een paar hijskranen, die als roerloze reuzen de wacht houden. Ergens in de verte blaft een hond.

Dan verschijnen er twee lichtjes in de duisternis. Een auto komt langzaam dichterbij en stopt op een tiental meters van de Sirius. Fel verlichten de koplampen het schip en de bemanningsleden van de Sirius worden even verblind. Ze zien twee politieagenten uit de wagen stappen en het schip naderen. Vlak voor de Sirius blijven ze staan en nemen het schip aandachtig op.

„Het lijkt me hier allemaal heel rustig, Sjefke," horen ze de ene agent tegen de andere zeggen. „Laten we maar weer verder gaan."

„Nee," zegt nu de met Sjefke aangesproken agent. „Er is iets met de mast. De radar is eraf en de antenne ook."

Met ingehouden adem en een kloppend hart wachten de Greenpeace-bemanningsleden af. Wat zal er gaan gebeuren?

„Jawel, Sjefke, maar dat is in orde," zegt de ene agent. „Vanmiddag heb ik ze de radar en de antenne naar beneden zien halen. Ze zeiden dat er iets aan moest worden gerepareerd. Omdat ze hier toch vastliggen, doen ze allerlei klusjes aan het schip. De kapitein heeft me dat vanmiddag verteld."

„Dan is alles oké," antwoordt agent Sjefke. Hij draait zich om en loopt naar de auto.

De ander volgt en even later rijdt de patrouillewagen langzaam achteruit, keert en verdwijnt om de hoek.

In de messroom slaakt iedereen een zucht van verlichting. Gijs geeft aan dat er nog vijf minuten moeten worden gewacht, voordat iedereen zijn post kan innemen. Langzaam verstrijken de minuten en seconden.

Dan zegt Ed met lage stem: „Nu!" en de bemanningsleden snellen de messroom uit.

Siebe zegt tegen de clubleden dat ze naar het voordek moeten gaan, daar kunnen ze alles goed zien en lopen dan ook niet in de weg. Hijzelf gaat met Ed naar de stuurhut.

Mieke verdwijnt de machinekamer in om de motoren te starten.

Gijs en Jos klimmen op het topdek en sjouwen het gereedschap met zich mee.

Tony stelt zijn camera in met een belichtingsmeter en hijst hem op zijn schouder.

David gaat naar de hydraulische kraan op het achterdek en Harald en Emmy rennen de loopplank af om de trossen van het schip los te gooien. Daarna komen ze weer snel aan boord en halen de loopplank in.

Marco leidt de clubleden naar het voordek. Hij zal bij hen blijven, omdat hij met behulp van een portofoon contact zal onderhouden met Ed en Siebe, Gijs en Jos en David bij de kraan, die allemaal zo'n ding bij zich hebben.

Het voordek is een strategische plek, daar kun je veel van de operatie gadeslaan. Wel zullen de clubleden af en toe via het smalle gangetje aan bakboordzijde naar het achterdek moeten lopen, willen ze kunnen zien wat daar allemaal gebeurt.

De motoren maken zo'n hels kabaal dat de clubleden ervan schrikken. Zou iemand dat kunnen horen?

Langzaam glijdt de Sirius van de walkant af: de operatie ontsnapping is begonnen!*

De snijbranders worden aangestoken en te midden van een regen van vonken en onder luid gesis beginnen Jos en Gijs de mast door te branden. Jos de zijstangen en Gijs de hoofdmast. Vanaf het voordek lijkt het wel op oudejaarsavond.

De clubleden begrijpen dat de mast zo snel mogelijk naar beneden moet, want het vuurwerk is van heinde en verre te zien.

„Kijk," roept Suzan opgewonden uit. „Harald heeft al een kabel van de kraan aan de hoofdmast bevestigd."

Erik, Roy, Maarten en Wim kijken gefascineerd toe.

Kees staart vol bewondering naar de portofoon van Marco, maar die gebruikt hem nog niet. Dat zal pas gebeuren tijdens de kritieke fase. Wel hoort hij David tegen Gijs door de portofoon roepen dat de kabel strak gespannen staat.

In de stuurhut zien ze Ed aan het stuurwiel staan.

„Moet je eens achterom kijken," toetert Roy de anderen in het oor. „Daar in de verte is de eerste brug al."

„Dat moet dan de brug zijn, die naar het bedrijf S.S.B. leidt," roept Wim terug.

„En vandaar," vult Erik aan, „is het nog tien minuten varen om op Nederlands grondgebied te komen."

„Zover is het nog lang niet," zegt Maarten. „Eerst moet die mast er zo snel mogelijk af."

Ze zien Gijs nog steeds bezig met de hoofdmast aan de andere kant, ongeveer ter hoogte van de reling van de stuurhut.

* Zie blz. 2 voor een plattegrond van de ontsnappingsroute

In een regen van vonken en onder luid gesis branden Jos en Gijs de mast door. (blz. 81)

Jos heeft de zijstangen nu doorgebrand en werkt vervolgens aan de kleine lichtmast, die helaas net te hoog is voor de spoorbrug. Daarmee is hij snel klaar.

Harald en David hebben de kraan naar bakboord gedraaid en zijn klaar om de mast op te vangen.

„Bakboord is toch rechts?" vraagt Kees de anderen. „Of is dat stuurboord?"

„Nee, Kees," zegt Maarten gewichtig. „Stuurboord is rechts en bakboord is links, als je tenminste met je gezicht naar de voorsteven van het schip staat."

„Oh ja," antwoordt Kees. „Wat stom."

„We zijn nu wel heel dicht bij de brug," merkt Roy op. „We halen het nooit om de mast er op tijd af te krijgen."

Op dat moment horen ze Gijs tegen Marco door de portofoon roepen dat de Sirius langzamer moet gaan varen.

Marco geeft de boodschap door aan Ed.

Op de stuurbrug zien ze Siebe een hendel overhalen. 'Halve kracht', seint deze door naar Mieke in de machinekamer en onmiddellijk beginnen de motoren zachter te lopen en mindert de Sirius vaart.

„Hallo, Gijs?" vraagt Marco. „Zijn er problemen, over?"

„Nee," antwoordt Gijs, „er zijn geen problemen. We hebben de mast bijna doormidden, ik ga het scharnier bevestigen en daarna gaan we hakken, over."

„Oké," zegt Marco. „Over en sluiten."

„Hallo, Marco, hallo, David, hallo, Ed," roept Gijs door de portofoon. „De kritieke fase breekt nu aan. Jos en ik beginnen te hakken. De mast kan elk ogenblik omvallen. Over en sluiten."

De spanning is op Marco's gezicht te lezen.

Tony loopt met zijn camera overal naar toe: waar iets gebeurt, filmt hij. Niets ontgaat hem. Hij loopt naar Gijs en Jos en richt de filmcamera op hen. De clubleden zien dat Jos en Gijs met mokers op de mast beuken. Het geluid van de mokerslagen verspreidt zich snel over het water.

„De brug is nog ongeveer twintig meter verderop," roept Roy angstig.

„Hallo, Ed. Hier Marco, motoren van de Sirius volle kracht achteruit, anders halen we het niet. Over."

„Oké, Marco, begrepen," zegt Ed. „Over en sluiten."

Siebe haalt een hendel over op het stuurdek en luid brullend gaan de motoren op volle kracht achteruit. De Sirius ligt een moment stuurloos voor de brug.

„Mieke heeft een zware klus in de machinekamer," mompelt Marco. „Gelukkig heeft ze hulp van Emmy."

„De mast breekt, de mast breekt," schreeuwt Gijs door de portofoon. „David, Harald, opgelet: vang de mast op."

„Kijk," roepen Suzan, Erik en Kees tegelijk. De mast begint te hellen. Langzaam zien ze de mast naar achteren vallen.

Davids gezicht glimt van de inspanning. Hij stuurt de kraan mee met de beweging van de mast.

Harald loopt heen en weer en controleert of de kabel strak gespannen staat.

En dan komt de mast met geweld en een denderend geraas naar beneden. In zijn val vernielt hij een gedeelte van de stuurreling en schampt de schoorsteenpijp van het schip. Metaal dreunt op metaal, het geluid gaat door merg en been.

„Hallo, Ed, Marco, David," roept Gijs door de portofoon. „Er is iets fout gegaan. Het is een ravage hier, maar de mast is naar beneden. We zien straks wel wat er is gebeurd. Het schip kan nu onder de brug door, maar doe het wel heel voorzichtig. We weten nog niet of het lukt. Over en sluiten."

Siebe haalt de hendel over naar: 'zeer langzaam'.

Mieke voert het commando uit en de Sirius vaart vooruit. Uiterst langzaam komt de brug naderbij.

Angstig kijken de clubleden toe. Ze proberen de hoogte van de Sirius en die van de vrije doorvaart onder de brug te schatten. De onderkant van de brug verschijnt boven hun hoofden. De boeg van de Sirius kan er natuurlijk gemakkelijk onderdoor; het gaat om het hoogste punt van het schip en dat is nu de geknakte reling op het topdek, gevormd door het dak van de stuurhut. Gijs en Jos liggen op hun buik op de stuurhut en zien dat het schip ruim een decimeter speling heeft.

„Het lukt, het lukt," juichen de clubleden en Marco op het voordek.

Tony richt zijn camera op de brug en legt dit belangrijke moment op film vast.

Even later is de Sirius onder de eerste brug door! De lichten van het industrieterrein en het S.S.B.-gebouw schuiven langzaam voorbij. Voor vreugde is echter nog geen tijd. Het is bijna tien minuten varen voordat het schip de Belgisch-Nederlandse grens passeert.

„Volle kracht vooruit," roept Ed en Siebe haalt de hendel over, de motoren razen.

„Het kappen van de mast heeft wel veertig minuten geduurd," merkt Erik op. Hij heeft de hele tijd nauwlettend op zijn horloge gekeken. „We lopen dus twintig minuten op het schema achter."

„Toch zie ik nog steeds geen rivierpolitie," zegt Roy. „Zo op het oog lijkt het of niemand iets van de ontsnapping heeft gemerkt."

„Inderdaad," zegt Wim. „Buiten het geronk van de Siriusmotoren hoor je niets. In geen velden of wegen is er iets te zien."

Iedereen haalt opgelucht adem.

Siebe komt naar beneden en ook Gijs, Jos, Harald en David lopen naar het voordek.

Tony filmt nog steeds, maar nu de mensen aan boord van de Sirius.

„Mag ik even jullie aandacht, beste mensen?" vraagt Siebe. „Op dit moment passeren we de grens. De Belgische politie of S.S.B.

kan ons niet meer tegenhouden. Als we niet nog eens twee bruggen en de Kreekraksluizen voor de boeg hadden, zouden we de ontsnapping nu al geslaagd kunnen noemen. We zijn er echter nog niet. Laten we de schade eens bekijken. Het duurt toch nog wel een kwartier voordat we bij de tweede brug aankomen."

Na het inspecteren van de mast concludeert Gijs: „Je kunt zien wat er fout is gegaan. De mast is niet op één plaats, bij het scharnier, maar op twee plaatsen gebroken."

Ongeveer twee meter boven de eerste breuk zien de anderen inderdaad een tweede.

„Hierdoor," vervolgt Gijs, „is de mast niet boven de reling blijven hangen en is hij ook niet genoeg naar bakboord gezwenkt. Daardoor heeft hij de schoorsteenpijp geschaafd." Inderdaad zijn op de pijp enige schaafplekken ontstaan.

„Al met al valt de schade wel mee," zegt Marco tevreden.

„It's not so bad," beamen Harald en David.

„It gives us a better chance to pass the low bridge," zegt David.

„Precies," zegt Siebe. „Doordat de reling enigszins is verbogen, vormt de mast die erop ligt, geen extra verhoging."

„We zullen wel zien, hè, broertje?" spot Maarten.

De andere clubleden moeten om deze opmerking lachen; in de korte tijd dat ze Siebe kennen, hebben ze al gemerkt dat hij een paar vaste uitdrukkingen gebruikt.

Siebe geeft Maarten een vriendschappelijke klap op de schouder. „Zorg jij er nou maar voor dat je niet uit je bed rolt," knipoogt hij naar de anderen.

Ook deze opmerking ontlokt een luid gelach. Het is duidelijk dat de spanning even is gebroken.

Kees heeft de portofoon van Marco geleend en voert er in zichzelf een gesprek mee: „Over en sluiten," horen de anderen hem constant zeggen. Deze grappenmakerij duurt maar kort, niet ver van hen vandaan doemt de tweede brug alweer op. Ook deze brug wordt moeiteloos genomen.

„Het is net een hordenloop," vergelijkt Suzan, die nogal sportief is aangelegd. „De laatste horden zijn vaak de moeilijkste."

„We zullen wel zien," zegt Siebe.

Nog even wordt er hard gelachen voordat de verkeersbrug met de vlak daarachter liggende, moeilijke spoorbrug de stemming weer drukt.

„Hallo," roept Ed vanaf de stuurbrug. „Nog even volle concentratie, deze stalen boy hier voor ons kan nog heel wat roet in het eten gooien. Jos, ga jij naar boven en geef Marco bijtijds een seintje als het niet lukt. We hebben aan een beschadigde Sirius al genoeg, we zitten niet te wachten op een vernielde spoorbrug."

Iedereen neemt zijn positie weer in en stukje bij beetje schuift de Sirius onder de spoorbrug door. Vlak voordat de reling van het topdek de onderkant van de brug bereikt, zwaait Jos met zijn armen. Onmiddellijk geeft Marco het signaal door aan Ed, zodat Siebe Mieke de opdracht: 'volle kracht achteruit' geeft. De Sirius vaart meteen iets terug en ligt daarna weer voor de brug.

De clubleden en Marco zien Gijs, Jos, Siebe en Ed even overleg met elkaar voeren. Siebe geeft met zijn vingers aan dat het een kwestie van centimeters wordt.

„We proberen het nog een keer," zegt Marco tegen de clubleden.

Uiterst traag glijdt de Sirius weer vooruit in het rimpelloze water. Tergend langzaam schuift de reling onder de spoorbrug door. Zo op het oog zit er wel ruimte tussen. Als de Sirius onder de brug door is, horen de zes dat het inderdaad een kwestie van centimeters was.

„Nou, dat scheelde maar een haartje," zegt Marco opgelucht.

Dan is de tijd aangebroken voor de laatste hindernis, de Kreekraksluizen. Hiervoor is tact en diplomatie vereist; kapitein Ed zal dit varkentje zelf wassen.

Alle bemanningsleden, inclusief de Greenpeace-clubleden, gaan naar de stuurhut, alleen Mieke en Emmy zijn daar niet aanwezig. Zij blijven druk bezig in de machinekamer.

Siebe staat achter het stuurwiel en tuurt door het raam naar buiten. In de verte doemen de lichtjes van de Kreekraksluizen op; over een minuut of twintig zullen ze er zijn.

Iedereen is nerveus, als de sluiswachters zouden weigeren het schip door te laten, is alles op de valreep toch nog mislukt.

Ed zet zich achter de boordradio in de stuurhut en roept de sluiswacht op: „Hallo, Kreekrak, hallo, Kreekrak. Hier de Sirius. Ik zal over twintig minuten arriveren. Kunt u mij zeggen welke sluisgang ik moet nemen?"

Er volgt wat gekraak op de radio en dan horen ze een stem. „Hallo, Sirius, hallo, Sirius. U wilt door de sluis, maar wij hebben uit Antwerpen geen bevestiging ontvangen. Hoe komt dat?"

„Hallo, Kreekrak," antwoordt Ed. „Wij zijn zeer onverwacht vertrokken. Het is midden in de nacht en wij hebben geen melding kunnen maken van ons vertrek."

„U was toch aan de ketting gelegd, Sirius?" vraagt de stem. „Dat hebben wij vernomen. Bent u soms ontsnapt?"

In de stuurhut is het doodstil. Met gespitste oren luistert iedereen gespannen mee met het radiogesprek tussen Ed en de sluiswachter. Het antwoord dat Ed nu zal geven, bepaalt de verdere gang van zaken.

„Eh, u heeft gelijk," zegt Ed. „We zijn ongeveer twee uur geleden ontsnapt. De Sirius moet actie voeren tegen een nieuwe milieuramp. We konden daarom niet langer in Antwerpen blijven liggen. Ik wacht nu op uw antwoord."

Weer kraakt de radio en een tijdlang is het beangstigend stil.

Dan zegt de stem: „Sirius, u kunt de linkersluis nemen."

„Ik dank u zeer," antwoordt Ed.

Een zucht van verlichting gaat door de stuurhut. Het lukt, het lukt! Ed heeft gewoon gezegd waar het op neerkomt en het blijkt dat de populariteit van Greenpeace in Nederland zijn vruchten afwerpt. De sluiswachter beloont hiermee het werk dat Greenpeace al jaren doet, hij neemt Greenpeace serieus.

„Beste Gijs," zegt Ed. „Zet jij alvast de champagnefles op tafel? Ik denk dat we over zo'n twintig minuten wel wat te vieren hebben."

„Maar, Ed," vraagt Suzan verwonderd, „verderop bij de Oosterscheldedam komt de Roompotsluis toch nog? Daar kan het toch nog misgaan?"

„Jawel, beste Suzan, „daar heb je gelijk in. Maar laat ik je dit zeggen: de Roompotsluizen liggen zeker zo'n twee en een half uur varen verder. Dus twee en een half uur weg van de Belgische grens. En bovendien heb ik met die sluiswachters nog samen in de klas gezeten. Begrijp je wel?"

„Ed bedoelt," verduidelijkt Siebe, „dat de sluiswachters van de Roompotsluizen vrienden van hem zijn."

„Oh," zucht Suzan, „mag ik dan straks ook een glas champagne?"

Iedereen moet hartelijk om haar lachen.

„Na het schutten in de sluis," zegt Gijs, „zullen we het succes van de ontsnapping met champagne vieren. Jong en oud zullen van de vreugde mogen proeven!"

„Hik!" roept Kees wat flauw.

Een kwartier daarna ligt de Sirius weer opgesloten, maar nu tussen twee sluisdeuren.

Aan de kade staat een man in een zwarte jas met een pet op. Hij klautert aan boord van de Sirius, komt op de stuurhut af en gaat naar binnen. „Goedemorgen, kapitein," groet hij.

„Nou, goedemorgen," sputtert Ed tegen. „Het is notabene pas vijf voor drie."

„Een heel vroege goedemorgen dan," herhaalt de man onverstoorbaar.

Ed geeft hem een hand.

De Greenpeace-clubleden begrijpen er niets van: de man ziet er zo officieel uit in dat pak en ze denken dat hij van de politie is.

Ed merkt hun verbazing en geeft snel een verklaring. „Dit is onze loods. Hij zal meevaren tot aan de Roompotsluizen en ons de juiste koers wijzen. Anders lopen we vast op een of andere zandplaat."

Op dat moment gaan de sluisdeuren open en de Sirius vaart langzaam de Kreekraksluis uit, de Oosterschelde op. Het schip begint te deinen op de korte golven. Meeuwen krijsen boven het schip.

Erik, Kees en Roy moeten weer denken aan de pont over het IJ. Het lijkt zo'n tijd geleden dat ze de weg naar de Meeuwenweg vroegen en dat ze in Kraaiemans tuin waren. Toch was dat maar drie dagen geleden.

„Proost," roept iedereen met een glas champagne in de hand. „Op een behouden vaart en op de actie tegen O.S.N. Proost!"

HOOFDSTUK 9

Greenpeace in actie

De Sirius vaart met volle kracht de Oosterschelde op. Ed en de loods vertellen elkaar allerlei zeemansverhalen. Ze kennen elkaar van het loodswezen in Zeeland, want ook Ed heeft een vaste baan: alleen in zijn vrije tijd is hij kapitein op de Sirius.

Op die manier werken er wel meer mensen bij Greenpeace. Emmy de kokkin bijvoorbeeld, vaart op allerlei koopvaardijschepen, maar in haar vrije tijd is ze op de Sirius te vinden.

„Het eten is klaar," roept Emmy onder aan de trap naar boven. „Beloofd is beloofd. Zuurkool met worst en spek. Wie het laatste aan tafel komt, mag afwassen."

Maarten en Wim snellen als eersten naar beneden, naar de messroom.

Ze worden direct gevolgd door Erik, Suzan en Roy.

Kees zit bij Marco en heeft een koptelefoon op, waardoor hij Emmy niet hoort. Verwonderd kijkt hij naar zijn vrienden die de trap afrennen.

In de messroom staan meerdere tafels. De Greenpeace-clubleden gaan samen aan een tafel zitten.

Erik doet verwoede pogingen een kruk te verplaatsen, maar dat lukt hem niet.

„Zo, Erik," grinnikt Gijs, die net komt aanlopen. „Doe jij aan ochtendgymnastiek? Als je die kruk echt wilt verplaatsen, moet je eens naar beneden kijken."

Erik ziet dat de kruk met een paar stevige bouten aan de vloer vastzit.

Mieke, die in de machinekamer is afgelost door Jos, legt uit dat alles vastzit, omdat het op zee vaak stormt en dat je anders letterlijk een stoelendans krijgt. „Ook aan de tafelbladen zitten randen," vervolgt ze, „om ervoor te zorgen dat het bestek, de pannen en de borden niet van de tafels schuiven. Als we straks op de Noordzee zijn, zul je zien dat het beslist nodig is," zegt ze lachend.

Laat ik maar een heleboel zuurkool eten, denkt Roy. Dan word ik niet zeeziek.

Wim zit klaar om aan te vallen. Alleen ziet hij geen bestek en geen borden.

Dan schuift er een breed luik open aan de zijkant van de messroom en daarachter verschijnt Emmy, die in een grote keuken staat. „Oh, ik zie het al," lacht ze. „De geachte Greenpeace-clubleden willen worden bediend. Maar ik vertelde al dat je daarvoor naar een restaurant moet. Hier is het zelfbediening, kom maar naar het luik toe, dan krijgen jullie van mij een bord vol en een kop thee."

Wim staat onmiddellijk op en keert even later als eerste terug met een dampend bord zuurkool.

De anderen volgen snel zijn voorbeeld. En zo zitten ze dan met Mieke, Gijs en Siebe aan tafel te smullen.

Ed en de loods blijven in de stuurhut.

Siebe zal Ed straks aflossen, zodat ook hij dan kan eten.

Aan de andere tafel zitten Harald, David en Tony tijdens de maaltijd druk in het Engels te converseren.

„Hé," zegt Suzan plotseling. „Jos zit in de machinekamer, maar waar zijn Marco en Kees?"

Op dat moment komen de beide radio-experts binnen en gaan naar Emmy voor hun portie.

„Jawel, heren," zegt Emmy, „dat wordt straks dus afwassen, want jullie zijn de laatsten."

„Hoezo?" vraagt Marco. „Is dat dan afgesproken?"

„Nou en of," antwoordt Emmy, „maar als jullie niet luisteren, kan ik er ook niets aan doen!"

Wim, Suzan en Maarten moeten hard lachen om het verbaasde gezicht van Kees.

„Zo, Kees," buldert Maarten, „we zijn maar met z'n dertienen. Dus de afwas valt wel mee!" Ook de anderen schateren het uit.

„Oh ja, voor ik het vergeet," zegt Siebe, „de douches en de toiletten moeten ook worden schoongemaakt. Dat kunnen Wim, Suzan en Maarten na het eten wel doen." Het gelach verstomt ineens. Behalve van Erik en Roy, want die kunnen hun lachen niet meer houden.

„Dan kunnen Erik en Roy mooi de gangpaden schrobben," vervolgt Siebe onverstoorbaar.

En nu moeten alle clubleden heel hard lachen. Ze beginnen te begrijpen wat het leven aan boord van de Sirius allemaal inhoudt.

Na het eten en de corveedienst gaan de clubleden weer naar boven, aan dek.

„Moet je kijken," zegt Roy verbaasd, „het begint al licht te worden."

Suzan kijkt op haar horloge en ziet dat het inmiddels bijna half vijf is. Vanuit het oosten begint de lucht allerlei kleuren aan te nemen: wit, geel en rood door elkaar heen. De zon is nog niet te zien.

„Ik geloof dat we boffen," zegt Kees, „want zo te zien wordt het een mooie dag."

„De wind is ook niet meer zo hard," merkt Maarten op. „Dus we hoeven niet met slingerlat en reddingsvest te slapen."

„Over slapen gesproken," mengt Wim zich in het gesprek, „ik heb helemaal geen slaap, terwijl ik toch hooguit drie uur heb gemaft."

De anderen beamen dat: door alle spannende gebeurtenissen heeft de slaap nog geen vat op de clubleden kunnen krijgen.

„Maar toch," bromt een stem achter hen, „is het niet onverstandig naar bed te gaan zolang het kan, want bij Hoek van Holland hebben we natuurlijk niets aan slaperige actievoerders." Het is de vertrouwde stem van Siebe.

De clubleden draaien zich om en zien hem wijdbeens op een van de rubberboten staan.

Maarten doet een stap naar voren en bast Siebe toe: „Je begint hoe langer hoe meer vadertje over me te spelen. Eerst moet ik w.c.'s schoonmaken en nu word ik weer naar bed gestuurd. Hoe zit dat eigenlijk?"

„Heel eenvoudig, jochie," zegt Siebe geamuseerd. „Ik heb ma beloofd goed op je te passen en ervoor te zorgen dat je niet te veel wordt verwend en dat je niet oververmoeid thuiskomt. En dat heb ik met alle moeders afgesproken. Bovendien," vervolgt hij langzaam, „heeft Ed jullie ingedeeld bij een van de actievoerende rubberboten, die straks tegen de Etna zullen worden ingezet. Dus aan slaapkoppen hebben we niets."

Deze mededeling verandert de situatie grondig. De overige clubleden vinden dat Siebe gelijk heeft, maar nog belangrijker is dat ze de kans mee te varen in zo'n rubberboot niet voorbij willen laten gaan.

Alleen Maarten mort nog even door.

„Wel, dan gaan we maar," zegt Suzan.

Siebe heft zijn hand op. „Wacht even," roept hij. „Zo snel hoeft het nou ook weer niet. Ik zal jullie eerst vertellen hoe het reisschema eruitziet. Het is nu nog ongeveer een uur varen naar de Roompotsluizen. Daarna zijn we op de Noordzee en duurt het ongeveer drie uur voordat we bij het actiegebied aankomen. Laten we afspreken dat jullie zodra we door de sluizen zijn gegaan, in bed duiken. Dan kunnen jullie nog drie uur slapen. Is dat een goede oplossing?"

„Eigenlijk is die broer van jou, Maarten, wel een toffe vent," zegt Suzan.

„Eh ja, dat is-ie zeker," zegt Maarten en even voelt hij een steek van jaloezie. „Mijn moeder zegt altijd," vervolgt hij, „dat wij zo op elkaar lijken..."

Wim, Erik, Kees en Roy moeten plotseling even een andere kant op kijken!

De Oosterschelde is met de opkomende zon een glinsterende waterspiegel geworden. Aan beide zijden zien ze in de verte land liggen. Het is nog rustig, maar aan alles merk je dat de natuur ontwaakt. Hoe is het mogelijk dat mensen zoals Schuymer, Van Kulke en Kraaieman en bedrijven als O.S.N. en S.S.B. de schoonheid van de natuur niet zien? Of zijn ze zo van geld bezeten dat ze nergens anders meer oog voor hebben? Deze vragen en nog veel meer spelen in de hoofden van de clubleden.

Plotseling worden ze uit hun gedachten opgeschrikt door Gijs, die komt aanlopen. Hij roept: „Daar heb je de Zeelandbrug. Het is de verbinding tussen Schouwen Duiveland en Noord-Beveland. De brug is wel zes kilometer lang."

Als de Sirius onder de Zeelandbrug doorvaart, lijkt het net of de brug een erepoort voor de Sirius wil zijn. De lage zonnestralen, het blauwe water, de groene Sirius en de hoge brug vormen als het ware het decor voor een romantische film.

Tony heeft dit blijkbaar ook gezien, de clubleden zien hem druk in de weer met zijn camera.

In de verte doemt een lange dijk op.

„Dat is de Oosterscheldedam al," wijst Gijs. „Over ruim een halfuur zijn we bij de Roompotsluizen. Als we die voorbij zijn, kiezen we echt het ruime sop."

„Ja," zegt Roy, „en wij onze bedden in het ruim."

Bij de Roompotsluizen gaat het precies zoals Ed en Siebe hebben voorspeld. De sluiswachters zijn uiterst joviaal en feliciteren de bemanning met de ontsnapping uit de Antwerpse haven.

„Wij Zeeuwen," lacht een van hen tegen Ed, „zijn toch niet voor één gat te vangen."

Er ligt nog een boot in de sluis, een visserskotter. Op de boeg zien de clubleden met sierlijke letters 'Nehalennia' staan.

„Dat is een mooie naam," zegt Kees tegen Roy. „Heel wat anders dan de Katwijk I of de Katwijk II en ga zo maar door."

„Ja," vindt Roy, „en de Neeltje I en de Neeltje II."

„Inderdaad hebben sommige vissersboten wel praktische, maar weinig fantasierijke namen," zegt de loods, die zich samen met Ed bij het groepje heeft gevoegd. „Maar zeker niet allemaal," vervolgt hij. „De naam Nehalennia zie je echter niet veel. Deze vissersboot komt uit Zierikzee, dat kun je zien aan de afkorting Z.K."

„Zou Nehalennia de naam zijn van de vrouw van de kapitein?" vraagt Suzan verwonderd.

Hierop begint de loods hard te lachen. „Nee, het is zeker niet de naam van de kapiteins vrouw. Nehalennia is een Germaanse godin uit vroeger tijden."

„Oh ja?" vraagt Erik geïnteresseerd. Hij is dol op oude verhalen. „Wat was ze dan voor een godin?"

„Tja," antwoordt de loods peinzend, „dat weten ze niet zeker. Er zijn zo'n twintig jaar geleden bij Walcheren vier altaren van de godin gevonden en later bij Colijnsplaat wel meer dan honderd. Daar hebben onderzoekers bovendien stukjes van een tempel gevonden. Het bleek een tempel te zijn ter ere van Nehalennia."

„Uit welke tijd komt die eigenlijk?" wil Wim weten.

„En hoe komen die altaren daar terecht?" vraagt Maarten.

De loods begint plezier te krijgen in de nieuwsgierigheid van de clubleden. Hij gaat er eens eventjes goed voor staan. Helaas kan hij het niet te lang maken, zo direct gaat hij van boord. Zijn werk, het loodsen van de Sirius door de Oosterschelde, zit er bijna op. „Kijk," zegt hij. „Ik ben al vanaf de Kreekraksluizen aan boord van de Sirius, omdat de Oosterschelde veel ondiepe delen heeft. Bijvoorbeeld het Verdronken Land van Zuid-Beveland, Galgenplaat en ga zo maar door. Dat is allemaal land geweest dat door de zee is overspoeld. We zijn er vlak langs gevaren. Zeeland heeft in de geschiedenis zoveel overstromingen gekend; de laatste was in februari 1953. Daarna is men begonnen met de zogeheten Deltawerken, waarvan de Oosterscheldedam een onderdeel is. Het is voor de zee heel wat moeilijker geworden Zeeland nog eens te overspoelen. Maar dat was vroeger dus wel anders. Vandaar dat de altaren lange tijd door overstromingen onzichtbaar zijn. En wat de ouderdom betreft: men schat dat ze tussen honderd en tweehonderd na Christus zijn gemaakt."

„Zo oud?" roept Roy verbaasd uit. „En wat was het dan voor een soort godin?"

De loods zwijgt even voordat hij antwoord geeft. „Men denkt," zegt hij langzaam, „dat zij de godin was van de zeevaarders. Er staan afbeeldingen van de godin op de altaren. Als zij staat, staat ze met een voet op een schip en houdt een hand op achter haar rug. Als ze zit, zit ze op een troon met een fruitmandje op haar schoot en weer die hand achter haar rug. Ze moet dus iets met zeevaart en handel te maken hebben gehad. Maar we weten het niet zeker. Wat ik wel zeker weet," zegt hij tegen Ed, „is dat ik nu van boord moet. De Sirius zal dadelijk door de sluizen varen." De loods geeft de clubleden een hand, groet Ed en klimt van boord.

„Wat een interessante man," zucht Suzan. „Die weet wel wat meer van geschiedenis dan ik."

„Betekenen de namen Sirius en Etna soms ook iets?" vraagt Maarten aan Ed.

„Sirius is de naam van een ster, een heel heldere ster. Je zou misschien kunnen zeggen dat het een lichtpuntje in de duisternis is."

„Ja, en de Etna is de naam van een vulkaan op Sicilië," zegt Erik. „En vulkanen spuwen rook, vuur en zwavel, en ze stinken. Het schip Etna stinkt ook: het spuwt giftig afval in zee."

„Zo is het maar net," lacht Ed.

Nog onder de indruk van alle gebeurtenissen gaan de clubleden een voor een naar beneden, naar het ruim. Inmiddels heeft de Sirius de sluizen achter zich gelaten en vaart de Noordzee op.

Voordat de clubleden gaan slapen, zeggen ze tegen Mieke dat zij hen absoluut om kwart voor negen moet wekken. Ed heeft gezegd dat ze tussen negen en half tien op het actieterrein zullen aankomen en daar willen ze natuurlijk op tijd bij zijn.

„Welterusten," zegt Mieke en tegen Maarten: „Denk aan de slingerlat en je reddingsvest, Maarten. Misschien gaat het stormen!"

De andere clubleden lachen; ze merken wel dat verhalen aan boord snel de ronde doen.

Tien minuten later ligt iedereen in diepe rust. Bijna iedereen, want Suzan kan de slaap niet vatten. Ze herinnert zich nog goed dat Ed hen heeft bevolen reddingsvesten te dragen zolang ze aan boord zijn. Hoe ze ook draait, het reddingsvest, dat ze nog steeds aanheeft, belet haar gemakkelijk te liggen. Ze hoort het water langs de wanden van het schip stromen. Zo nu en dan deint de Sirius flink en voelt ze een vreemd gevoel in haar maag. Door het geklots van het water, moet ze plotseling naar de wc en ze klimt uit haar kooi. Op de gang botst ze bijna tegen Gijs.

„Kun je niet in slaap komen, Suzan?" vraagt Gijs vriendelijk.

„Nee, het lukt niet," zegt Suzan. „Door dat reddingsvest lig ik zo moeilijk."

„Door het reddingsvest?" roept Gijs verbaasd uit. „Heb je dat dan in bed aan?"

„Ja," zegt Suzan, „dat moet van Ed."

„Die Suzan! Ed bedoelt niet in bed, je neemt het wel heel erg letterlijk. Ga maar weer je kooi in. Doe het vest uit en leg het bij je in de buurt. Dat ligt heel wat gemakkelijker." Lachend stapt hij weg. Suzan hoort hem nog net tegen de andere bemanningsleden zeggen: „Hé, moet je eens horen wat er nu weer is gebeurd..."

Teruggekomen in haar hut en bevrijd van het knellende vest, valt ze in een diepe slaap.

Lang duurt die niet, want precies om kwart voor negen maakt Mieke de clubleden wakker: „Opstaan, opstaan. Etna in zicht. We hebben nog een paar actievoerders nodig!"

Maarten komt ditmaal als eerste uit bed. Hij zal de anderen wel even laten zien dat hij zonder slingerlat heeft geslapen. Vlug kleden ze zich aan en gaan naar de messroom. Zes koppen geurige koffie en zes borden met boterhammen staan op tafel te wachten.

„Voor deze keer," zegt Emmy, „is het beste restaurant niet goed genoeg. Jullie worden in de watten gelegd, omdat jullie straks zwaar werk moeten doen."

„Is de Etna echt in zicht?" vraagt Erik, terwijl hij de slaap uit zijn ogen wrijft.

„Ja, wat dacht je dan?" roept Emmy uit. „De boterhammen en de koffie staan klaar zodat jullie zo snel mogelijk aan dek kunnen komen." Hoewel de clubleden zich nog niet zolang geleden te goed hebben gedaan aan zuurkool, verdwijnen de boterhammen in rap tempo. Zeelucht maakt inderdaad hongerig.

Vijf minuten later stormen ze de trap op naar het dek; daar is het een drukte van jewelste.

Harald en David zijn bezig twee rubberboten vaarklaar te maken.

Mieke, Gijs en Tony staan bij een grotere, oranje rubberboot. Terwijl de kleinere, grijze rubberboten elk een buitenboordmotor hebben, heeft de grote rubberboot er twee en staat er een kleine stuurhut op.

„Met deze boot," zegt Gijs tegen de clubleden, „gaan jullie mee. Samen met Tony en Siebe."

„Waarom is dit zo'n grote rubberboot, Gijs?" vraagt Kees nieuwsgierig.

„Deze rubberboot," verklaart Gijs, „wordt meestal gebruikt om meevarende journalisten, fotografen en cameramensen de kans te geven onze acties van zeer dichtbij te verslaan. Maar aangezien de ontsnapping geheim moest blijven, hebben we nu geen journalisten aan boord. Tony zal deze actie helemaal alleen moeten filmen. Siebe zal de rubberboot sturen; er is dus genoeg plaats voor jullie. Eigenlijk zijn jullie nu de journalisten. Ik heb gehoord dat jullie een werkstuk moeten maken. Nou, Suzan, dit is je kans uit de eerste hand aantekeningen te maken." Hij knipoogt naar de andere clubleden. „Maar wel met reddingsvest aan, hè?" voegt hij er nog lachend aan toe.

„Wat krijg jij opeens een rood hoofd, Suzan?" merkt Maarten bezorgd op.

Terwijl Tony zijn camera instelt, vertelt Mieke de clubleden dat de kleine rubberboten zullen worden bestuurd door Gijs en Jos en door Harald en Emmy.

„Ikzelf zal Jos aflossen in de machinekamer," zegt ze. Verder zal David via de hydraulische kraan de drie rubberboten met bemanning en al te water laten."

„Heeft David dan geen last van de gekapte mast?" vraagt Wim nadenkend.

„Wel nee," antwoordt Mieke. „De mast ligt aan bakboordzijde, maar de rubberboten worden aan stuurboordzijde neergelaten."

„En dat is dus aan de rechterkant," zegt Kees.

Plotseling horen ze Siebe vanaf de stuurbrug roepen dat ze naar boven moeten komen voor het laatste overleg. Mieke gaat naar machinekamer en de rest klimt de trap op naar de stuurhut.

„Welnu, geachte bemanningsleden," begint Ed de bespreking. „Het is zover. We hebben net de ontsnapping achter de rug en nu gaan we een directe confrontatie met de Etna aan. We hebben het schip al een tijdje in de peiling. Toen we op de Noordzee waren, bleek onze achterstand op de Etna niet zo groot te zijn. Ik denk dat de Etna ons ook wel zal hebben opgemerkt."

„Ik zou de gezichten van Van Kulke en Kraaieman wel eens willen zien," zegt Kees lachend.

„Dan moet je nog even geduld hebben, Kees," antwoordt Siebe. „Je kunt de Etna alleen maar met een verrekijker bekijken. En dan nog in de verte."

„Daarom," gaat Ed verder, „zullen we met de Sirius eerst naar de Etna varen. Als we er ongeveer driehonderd meter vandaan zijn, gaan de rubberboten met de actievoerders te water. Ondertussen zal Marco radiocontact maken met de Etna, zodat ik de kapitein van het schip kan verzoeken de vaten gif niet te dumpen. Het is te verwachten dat de kapitein dat verzoek aan zijn laars lapt. Zodra de vaten toch worden gedumpt, zal David de rubberboten het sein geven naar de Etna te varen. Na de actie moeten Siebe, Tony en de clubleden zo snel mogelijk naar de kust om Tony met al het filmmateriaal - zowel van de ontsnapping, als van de actie - aan wal te zetten. Tony zal er dan voor zorgen dat de films op tijd worden afgeleverd bij de NOS in Hilversum, zodat alle gebeurtenissen vanavond op de televisie in het journaal te zien zijn. Dan kan iedereen met eigen ogen aanschouwen wat voor een gevaarlijke rotzooi in onze mooie Noordzee wordt gekieperd. Wanneer jullie Tony aan wal hebben gezet, komen jullie weer terug naar de Sirius. Is dat allemaal duidelijk?"

Hoewel Tony nauwelijks Nederlands verstaat, begrijpt hij dit betoog van Ed uitstekend: het is niet de eerste actie die hij meemaakt. En bovendien zijn al deze zaken natuurlijk van tevoren al goed doorgesproken.

„Nog één ding," zo besluit Ed. „Wees voorzichtig. De vaten afval worden door een kraan van ongeveer tien meter hoogte in zee gegooid. Als je zo'n vat op je hoofd krijgt, ben je nog niet jarig."

„Nee," beaamt Gijs, „dan word je misschien nooit meer jarig."

En met deze onheilspellende mededeling is de vergadering afgelopen. Iedereen neemt zijn positie weer in.

„Van Kulke en Kraaieman, let op, we komen eraan," zegt Roy, een beetje geschrokken van wat Gijs heeft gezegd.

Ed en Marco blijven achter in de stuurhut om de Sirius richting Etna te varen, terwijl David een van de grijze rubberbootjes vastmaakt aan een kabel van de kraan.

Ondertussen geeft Gijs elk bemanningslid van de rubberboten een waterdichte broek en een dito jack. „Je zult zien," zegt hij tegen de clubleden, „dat je deze pakken hard nodig hebt. En vergeet niet je reddingsvesten weer aan te doen."

Als de clubleden de pakken en de reddingsvesten hebben aangetrokken, moeten ze ondanks de spanning om elkaar lachen. De felgekleurde waterdichte pakken zijn voor hen aan de ruime kant.

„Ik geloof dat ik de Etna zie," roept Roy plotseling opgewonden. „Daar heb je het schip," wijst hij.

De anderen zien het nu ook. Hoewel de afstand tussen de beide schepen nog groot is, kunnen ze toch al mensen onderscheiden op het dek van de Etna. En de kraan is goed te zien. Naarmate de afstand kleiner wordt, ziet de Etna er steeds dreigender uit.

„Er hangen al vaten in de kraan," merkt Wim op.

Dichterbij gekomen kunnen ze het schip veel beter bekijken. Het is groot, veel groter dan de Sirius. Zwart geschilderd, met een wit achterdek en een hoge, witte stuurhut.

Als Siebe de verrekijker aan Erik geeft, ziet Erik heel duidelijk de naam 'Etna' op de boeg van het schip staan.

„Gijs, Jos, it's your turn," zegt David nu.

Gijs en Jos gaan in de rubberboot zitten en worden opgetakeld. De kraan zwenkt naar stuurboord en laat de rubberboot langzaam in het water zakken. Dan is de andere rubberboot aan de beurt, waarin Harald en Emmy plaatsnemen. De twee rubberboten wachten tot ook de grote rubberboot, met de clubleden, in het water ligt.

„Het is net kermis," schreeuwt Kees opgetogen als de rubberboot zich boven het dek van de Sirius bevindt.

De andere clubleden kijken angstig naar beneden, maar langzaam en met grote precisie belandt nu ook hun rubberboot op het water.

Siebe gaat achter het stuur van hun boot staan en Tony nestelt zich met de camera op zijn schouder bij de punt. Hij laat zich in de rug ondersteunen door een dik touw dat aan beide zijkanten van de rubberboot is vastgemaakt. Zo kan hij tijdens het varen beter blijven staan.

De clubleden moeten van Siebe op de bodem van de rubberboot gaan zitten en zich stevig vasthouden aan een koord dat rondom de boot loopt.

„Ready?" roept David van boven. „Go!"

De drie boten schieten als een pijl uit een boog weg, richting Etna.

Suzan tuimelt even om haar as: ze had zich, om op haar kladblok te kunnen schrijven, nog niet vastgegrepen aan het koord. Even later zit ze, krampachtig, toch weer rechtop.

De beide motoren achter maken een hels kabaal, van praten zal niet veel komen. Bovendien raast de wind zo hard dat hun adem bijna wordt afgesneden.

Siebe wijst met zijn hand naar zijn ogen. Hij wil daarmee zeggen dat het nu een kwestie is van kijken en goed opletten.

De rubberboot duikt met zijn voorkant in een hoge golf, waardoor het water opspat en over de clubleden spoelt. Ze begrijpen dat ze de waterdichte pakken niet voor niets hebben aangedaan.

Suzan gooit haar drijfnatte notitieblok maar meteen op de bodem van de boot. Van schrijven komt toch niets meer.

Het Greenpeace-konvooi is de Etna nu tot ongeveer veertig meter genaderd.

Roy, Erik en Kees zien Van Kulke en Kraaieman op de stuurbrug staan. Met gebalde vuisten zwaaien ze dreigend naar de actievoerders en schreeuwen onverstaanbare kreten.

„Dat zal niet veel goeds zijn," roept Siebe de clubleden toe. Hij laat de motoren veel zachter draaien, zodat de herrie een stuk minder is.

De twee kleine Greenpeace-rubberboten manoeuvreren naar de grote.

„Jos en ik," roept Gijs naar de anderen, „zullen proberen met onze rubberboot onder de vaten te varen, waardoor de Etna ze moeilijk kan dumpen. Als wij wegvaren, moeten Harald en Emmy onmiddellijk onze positie overnemen. En dat doen we dus om beurten. Siebe, blijf jij met Tony en de clubleden op een afstandje, zodat Tony een goed beeld heeft voor zijn opnamen."

De clubleden slaken een zucht van verlichting, want het is al griezelig genoeg met een rubberboot op volle zee. Ook nog eens onder die zware vaten te gaan varen, vinden ze wel erg gevaarlijk.

„Maak je maar niet bezorgd, hoor," roept Siebe. „Het is nooit de bedoeling geweest met jullie die vaten op te vangen. We komen hooguit op twintig meter afstand van de Etna." Na deze geruststellende mededeling schieten de twee grijze bootjes naar voren. Het woord 'Greenpeace' op de zijkant is goed te zien.

Gijs en Jos komen met hun rubberboot aan onder de kraan met de vaten en kijken nauwlettend omhoog. De vaten blijven voorlopig nog boven hun hoofden hangen, er gebeurt niets. Waarschijnlijk voert Ed op dit moment via de boordradio een gesprek met de kapitein. Even daarna zien de clubleden Van Kulke en Kraaieman met een megafoon in de handen naar de reling toe stappen.

Kraaieman zet het ding aan zijn mond en schreeuwt de actievoerders woedend toe: „As jullie niet gauw opdonderen, zullen we die vaten boven op je kop kieperen. Dan mot je het zelf maar weten. Ik tel tot vijf en as jullie dan niet weg benne, is het voor jullie eigen risico. Een, twee, drie, vier... vijf!"

Op dat moment laat de kraan de twee vaten vallen, maar Jos, die de motor van het bootje bedient, schiet net op tijd weg. Met een luide plons vallen de vaten even achter de rubberboot in het water. De kraan draait terug tot boven het dek en daar worden twee nieuwe vaten aan de kraankabel bevestigd. Hetzelfde tafereel speelt zich vervolgens opnieuw af. Alleen varen nu Emmy en Harald onder de dreigende vaten. Ook zij weten ze op tijd te ontwijken. Dit kat-en-muis spelletje herhaalt zich een aantal keren.

Ondertussen is de Sirius ook dicht bij de Etna gekomen, de

Op het moment dat er twee vaten vallen, varen Gijs en Jos onder de kraan... (blz. 104)

afstand tussen beide schepen is niet meer dan vijftig meter. Daartussenin varen de drie Greenpeace-rubberboten op en neer.

Op de stuurbrug van de Sirius verschijnt Ed, ook hij heeft een megafoon in zijn handen. Hij roept luid naar de bemanningsleden van de Etna het dumpen te stoppen. „Wilt u het dumpen onmiddellijk staken! Het chemisch afval is een grote bedreiging voor al het leven in de Noordzee. U vervuilt de zee op een verschrikkelijke manier. De Noordzee is van ons allemaal en ik verbied u daarom de vaten te dumpen. U weet het niet, maar u heeft ook een grote hoeveelheid dioxine aan boord. Als u dat dumpt, veroorzaakt u onnoemelijk veel schade!"

Van Kulke en Kraaieman zijn razend en Kraaieman brult door de megafoon dat de Greenpeace-mensen wat hem betreft mogen verzuipen. Daarop geeft hij de kraanmachinist een seintje verder te gaan met dumpen.

Gijs en Jos bevinden zich net onder de vaten wanneer deze naar beneden suizen. Ze proberen ze met hun rubberboot nog wel te ontwijken, maar door een plotselinge zwenking van de kraan, maken de vallende vaten een boog.

„Kijk uit," roepen de clubleden zo hard ze kunnen, maar het is te laat. Een van de vaten komt op de voorplecht van de rubberboot terecht en sleurt het bootje even mee de golven in. Een seconde daarna springt de rubberboot met dezelfde kracht, maar nu in omgekeerde richting, weer uit de golven omhoog en hierdoor wordt Gijs, die aan de voorkant staat, in zee geslingerd.

„Man overboord!" schreeuwt Maarten in paniek. Wat moeten ze nu doen? Gijs drijft door de zuigende werking van de schroef van de Etna langzaam naar het schip toe.

„Pas op, dadelijk komt hij in de schroef!" brult Roy.

Gelukkig, daar is het bootje van Harald en Emmy. Pijlsnel schieten ze hem te hulp en hijsen hem aan boord.

„Bent u nu helemaal gek geworden!" schreeuwt Ed door de

megafoon. „U speelt met mensenlevens."

Op dat moment komt de kapitein van de Etna driftig uit zijn stuurhut. Hij rukt de megafoon uit de handen van Kraaieman en schreeuwt naar Ed: „Wat bedoelt u met dioxine? Ik heb helemaal geen dioxine aan boord en het staat ook niet op mijn vrachtpapieren."

Hierop roept Ed dat hij graag onder vier ogen met de kapitein van de Etna wil praten.

De clubleden zien Van Kulke en Kraaieman heftig discussiëren met de kapitein. Ze trekken hem wild aan zijn armen en gebaren naar de kraanmachinist dat hij moet doorgaan met dumpen.

De kapitein van het dumpschip rukt zich los en beveelt de kraandrijver te stoppen. Vervolgens roept hij door de megafoon naar Ed dat hij graag aan boord van de Sirius wil komen voor overleg. „En deze heren neem ik mee, want zij vertellen mij een heel ander verhaal," gaat hij verder.

Ed stemt toe, op voorwaarde dat ook de andere Greenpeace-mensen bij het gesprek aanwezig mogen zijn en dat er tijdens het onderhoud niet wordt gedumpt.

De kapitein van de Etna accepteert de voorwaarden, waarop Ed Siebe de opdracht geeft de kapitein en de twee 'heren' over te zetten. De twee kleine rubberboten roept Ed ook terug.

De clubleden kijken elkaar met grote ogen aan. Ze huiveren alleen al bij het idee dat ze met Kraaieman en Van Kulke in één boot moeten zitten.

„Dat wil ik helemaal niet," zegt Suzan.

„Wees maar niet bang," zegt Maarten dapper, „ik ben toch bij je."

De anderen moeten ondanks de ernst van de situatie even lachen.

„Jij wel, ja," kan Kees niet nalaten te zeggen. „Jij bent zo dapper, vooral als je een slingerlat bij je hebt!"

Siebe stelt hen gerust: „Als die mannen jullie ook maar met één vinger durven aan te raken, vliegen ze overboord."

De grote rubberboot schuift langszij de Etna en er wordt een touwladder naar beneden gelaten. Daarop klautert de kapitein, direct gevolgd door Kraaieman en Van Kulke, aan boord van de Greenpeace-rubberboot. De clubleden hebben zich aan één kant van de boot teruggetrokken om de afstand tussen hen en de mensen van de Etna zo groot mogelijk te maken. Maarten zit zelfs helemaal in een hoek, het verst van de boeven af.

Gedurende de korte tocht naar de Sirius kijkt Kraaieman hen met zijn roodomrande varkensoogjes kwaad aan. Natuurlijk herkent hij de clubleden, maar hij zegt niets.

Ook Van Kulke zwijgt. Hij is weer helemaal in het zwart gekleed en heeft een zonnebril op.

Bij de Sirius aangekomen, klimt iedereen via een slingerende touwladder omhoog. De clubleden houden zich tijdens het klimmen stevig vast, door het zwiepen van de ladder lijkt het net alsof ze bezig zijn met gymnastiek. Alleen, als ze nu vallen, komen ze niet op een zachte mat terecht, maar in het koude water van de Noordzee. Uiteindelijk komen ze allemaal veilig aan boord en gaan naar de messroom.

De Greenpeace-clubleden gaan direct om Gijs heen staan en informeren hoe het met hem is. Gelukkig is Gijs een sterke kerel die wel tegen een stootje kan. Hij heeft geen ernstige verwondingen opgelopen, maar is natuurlijk wel erg geschrokken van het incident. Dreigend kijkt hij in de richting van de kapitein van de Etna en zijn trawanten.

David en Marco, die is toegesneld om te helpen, maken de rubberboten met touwen aan de Sirius vast. Zolang de uitkomst van het overleg onbekend is, blijven de rubberboten in het water. Bovendien moeten de mensen van de Etna straks naar hun schip worden teruggebracht.

In de messroom nemen Van Kulke, Kraaieman en de kapitein van de Etna plaats aan een van de tafels. Siebe en Ed gaan aan de andere kant van de tafel zitten. Gijs, die zich snel heeft omgekleed, schuift even daarna aan. Er heerst een gespannen sfeer.

De overige bemanningsleden zullen niet bij het gesprek aanwezig zijn. Ook de zes Greenpeace-clubleden zijn blij dat ze uit de messroom weg kunnen: de aanwezigheid van de drie O.S.N.-mannen maakt hen nerveus.

Maar dan zegt Ed: „Ho, ho, niet zo haastig. Ik zou het zeer op prijs stellen wanneer jullie hier bij ons blijven. Ik denk namelijk dat jullie aanwezigheid van groot belang kan zijn."

Schoorvoetend geven de clubleden gehoor aan Eds verzoek. Ze gaan op enige afstand aan een andere tafel zitten. Kraaieman kijkt argwanend in hun richting.

„Ik zie er het nut niet van in dat die jongelui bij ons gesprek worden betrokken," zegt Van Kulke geïrriteerd.

„Ik zie het nut daarvan wel in," antwoordt Ed rustig. „En aangezien ik op mijn schip de baas ben, blijven ze in de messroom."

De kapitein van de Etna mengt zich nu in de discussie. Hij maant Van Kulke en Kraaieman, die zich ook begint op te winden, tot kalmte en zegt: „Als de kapitein van de Sirius denkt dat het nuttig kan zijn, heb ik er geen bezwaar tegen."

Morrend schikken Van Kulke en Kraaieman zich.

Siebe en Gijs denken beiden hetzelfde: het zal een zeer moeilijk gesprek worden. Met twee van die heetgebakerde figuren aan boord is het oppassen geblazen.

„Welnu, mijne heren," opent de Etna-kapitein het gesprek, „laat ik vooropstellen dat ik grote bewondering heb voor het werk van Greenpeace. Die acties tegen de zeehonden- en de walvisjacht heb ik altijd met grote interesse via de kranten gevolgd. Maar wat u nu doet, gaat me toch werkelijk te ver. Ik kan uw acties tegen mijn schip niet tolereren. O.S.N. heeft van de overheid een vergunning gekregen een bepaalde, in de vergunning omschreven, hoeveelheid chemisch afval voor de kust van Hoek van Holland te dumpen. En dan is het niet aan u dat te verhinderen. Ik wil u daarom verzoeken onmiddellijk met de actie te stoppen en mijn schip niet langer lastig te vallen. Anders voorzie ik ongelukken."

Van Kulke en Kraaieman knikken instemmend.

Ed kijkt de Etna-kapitein nadenkend aan en zegt: „Laat ìk dan vooropstellen dat ik verheugd ben dat u het werk van Greenpeace waardeert, maar met de rest van uw verhaal ben ik het oneens."

De clubleden kijken elkaar niet-begrijpend aan: ze hadden verwacht dat er een grote ruzie zou ontstaan, maar de beide kapiteins zijn erg vriendelijk tegen elkaar.

Ed gaat onverstoorbaar verder: „Ook al heeft O.S.N. een vergunning een bepaalde hoeveelheid chemisch afval te dumpen, dan nog menen wij dat Greenpeace het recht heeft daartegen te protesteren. Sterker nog, wij vinden dat de overheid zulke vergunningen niet moet verstrekken. Iedereen weet zo langzamerhand dat de Noordzee verschrikkelijk is vervuild. Dat de zeehonden, waarover u net sprak, nu niet meer worden doodgeknuppeld, maar sterven door die vervuiling. Het is onze taak mensen erop te wijzen dat we op een andere manier met ons afval moeten omgaan. Maar daar gaat het nu niet om. Wat u blijkbaar niet weet, is dat u veel meer chemisch afval aan boord heeft dan in de vergunning is toegestaan en dat u bovendien een groot aantal vaten dioxine op uw schip heeft, wat helemáál niet mag worden gedumpt. Het is het giftigste afval dat er bestaat. Als u die vaten dumpt, verdwijnt alle vis in de Noordzee en ook de zeehonden leggen onherroepelijk het loodje. Dan wordt de Noordzee een dode zee."

Na deze woorden van Ed zien de clubleden de stemming aan tafel drastisch veranderen.

Van Kulke en Kraaieman schreeuwen luid door elkaar heen en slaan met de vuisten op tafel.

„Wat bedoel je met dioxine aan boord en te veel chemisch afval?" snauwt Van Kulke. „Wat voor een leugens zijn dat, kerel? Waar bemoei je je mee?"

„En waar bemoeien jullie je mee?" vraagt Siebe nu aan Kraaieman en Van Kulke. „Wie zijn jullie eigenlijk?"

Hierop graait Van Kulke in zijn binnenzak en werpt de brief op tafel, die Schuymer, de directeur van O.S.N., hen heeft meegegeven. „Wij zijn inspecteurs van O.S.N. en moeten ervoor zorgen dat de dumping soepel verloopt en dat het gespuis van Greenpeace achter slot en grendel wordt gezet," roept hij nijdig.

„Maar dat is niet gelukt," mengt Gijs zich in de verhitte discussie. „Zoals jullie zien, is de Sirius hier en ligt ze niet aan de ketting in Antwerpen."

De clubleden zitten van spanning op het uiterste puntje van hun kruk. Zo hebben ze Gijs en Siebe nog niet meegemaakt. Groot en dreigend staan ze voor de twee schreeuwers van O.S.N., die zich langzaam op hun stoelen laten zakken. Ze kunnen zien dat Van Kulke en Kraaieman behoorlijk in de war zijn door de opmerking van Gijs.

„En jij, Kraaieman," vervolgt Ed, „ben jij inspecteur van O.S.N.? Afgelopen maandag kwam je nog aan boord van de Sirius in Amsterdam en vertelde ons dat je journalist was en een 'stukkie' over Greenpeace in de krant wilde schrijven. Toen geloofden we je al niet, moeten we je nu wel geloven? Ben jij eigenlijk niet een ordinaire dief, een inbreker die notitieblokken steelt uit woonboten?"

Het gezicht van Kraaieman wordt lijkbleek. Zijn roodomrande varkensoogjes staren Ed aan. „W... wa... wat bedoel je?" stottert hij. En dan schreeuwt hij: „Heb je daar bewijzen voor? Dat zeg je nu wel, maar dat ken je niet bewijzen."

„Oh nee?" antwoordt Siebe rustig. „Daar vergis je je dan in. Wim, geef mij de portefeuille eens."

Wim staat op, pakt de portefeuille van Kraaieman uit zijn zak en geeft hem aan Siebe.

„Herken je dit ding, Kraaieman?" vraagt Siebe, terwijl hij de portefeuille omhooghoudt. „Dat is toch jouw portefeuille?"

Met stomme verbazing kijkt Kraaieman naar de portefeuille. Overal heeft hij gezocht. Dus hij heeft hem in de buurt van die woonboot verloren. Zijn hersens werken koortsachtig. Hoe moet hij zich uit deze situatie redden? „Ik... ik heb dat ding nog nooit van me leven gezien," stamelt hij. „Ik, geloof niet dat-ie van mijn is."

„Ik zal je geheugen een beetje opfrissen," zegt Siebe en hij haalt de eurochequepas uit de portefeuille. „Kijk, hier staat het: P.C.B. Kraaieman, bankrekeningnummer 31.35.60006. Dat ben jij toch? Maar laat ik je geruststellen. We hebben niet gekeken hoeveel geld jij van Schuymer op je rekening hebt ontvangen."

Van Kulke probeert de situatie te redden. Hij stapt dreigend op Siebe af en snauwt: „Die portefeuille is van Kraaieman. Ik heb altijd gedacht dat vinders zo eerlijk zijn een verloren voorwerp terug te geven aan de eigenaar. Dus geef op dat ding."

„Ben jij dan de eigenaar?" vraagt Gijs verwonderd. „Ik heb altijd gedacht dat jij niet meer dan de loopjongen van Schuymer was. Dat jij het vuile werk moest opknappen voor dat heerschap. Dat het jouw opdracht was ervoor te zorgen dat de Sirius in aanvaring zou komen met het bootje van S.S.B. en dat de Sirius aan de ketting zou worden gelegd. En dat jij en Kraaieman ervoor moesten zorgen dat die vaten met dioxine overboord zouden worden gekieperd."

Even is Van Kulke met stomheid geslagen. Hoe weet die Greenpeace-kerel dat? flitst het door zijn hoofd. Zijn ze misschien verlinkt? Maar door wie dan? Buiten Schuymer, Kraaieman en hijzelf weet niemand iets af van hun complot tegen Greenpeace. Nou ja, behalve dan een paar mensen van S.S.B. en die hadden alleen maar iets met die in scène gezette aanvaring te maken. En hoe is het mogelijk dat de Sirius uit de Antwerpse haven is ontsnapt? Deze en nog veel meer gedachten vliegen in een fractie van een seconde door Van Kulkes hoofd.

De clubleden staren met verbeten gezichten naar Kraaieman en Van Kulke. De laatste heeft nog steeds zijn zonnebril op en dus kunnen ze hem niet in de ogen kijken. Dan zien ze dat Van Kulke zijn schouders recht en zowaar zijn zonnebril afzet.

Twee donkere ogen richten zich op de kapitein van de Etna. „Beste kapitein," zegt hij met arrogante stem. „Is het niet verstandiger hier weg te gaan? Wat hebben wij eigenlijk met dat zootje van Greenpeace te maken? Kraaieman verliest toevallig zijn portefeuille, zo'n snotjongen vindt hem, brengt het ding niet terug bij de eigenaar, oh nee, hij houdt hem. En wat gebeurt er? Kraaieman wordt een dief genoemd, nou vraag ik u! Deze lieden van Greenpeace zijn grote leugenaars en fantasten. Op uw vrachtbrief, kapitein, staan toch geen vaten dioxine vermeld? De drie vrachtladingen uit West-Duitsland zijn vaten met licht en onschadelijk chemisch afval en dat staat wel op uw vrachtbrief. Kraaieman en ik zijn hardwerkende mensen die de maatschappij van wat afval willen afhelpen. En wat is Greenpeace? Een club relschoppers! Overal waar ze komen, veroorzaken ze rotzooi. Laten we teruggaan naar de Etna. We moeten onze lading nog dumpen, er is geen tijd te verliezen."

Als Van Kulke en Kraaieman aanstalten maken te vertrekken, houdt Ed hen tegen en drukt hen weer op hun stoel. „Zitten," zegt hij gebiedend en hij vervolgt: „Van Kulke, één ding is zeker: je bent niet in je eerste leugen gestikt." En tegen de Etna-kapitein zegt Ed: „We hebben nu zolang naar het gezwets van die praatjesmaker moeten luisteren. Ik vind dat wij maar eens met een verklaring moeten komen. Roy, Erik, Kees, Wim, Maarten, Suzan, doe mij een plezier en vertel de kapitein van de Etna alles wat jullie de laatste week hebben meegemaakt en laat hem vooral het geheimzinnige briefje zien met: *woensdag a.s. thuis 17.00/GP."*

De clubleden springen van hun kruk en komen wat dichterbij. Ze zijn zo kwaad geworden over de leugens van Van Kulke dat ze zonder enige aarzeling hun hele verhaal vertellen. En als de een iets vergeet, vult de ander dat aan. Ruim een halfuur hebben ze nodig om al hun avonturen weer te geven.

De Etna-kapitein luistert met open mond en schudt zo nu en dan zijn hoofd.

Van Kulke en Kraaieman worden steeds bleker. Dus daarom is Greenpeace zo goed geïnformeerd. Daarom weet Greenpeace alles af van hun plannen. Dat stelletje scholieren heeft hen bespied in plaats van zij Greenpeace.

Kraaieman zakt helemaal onderuit. Het spel is uit, denkt hij. We hebben een kuil gegraven voor Greenpeace en zijn er zelf in gevallen. Verslagen door een zootje scholieren. En hij slaat de handen voor zijn ogen.

Van Kulke, die inmiddels zijn zonnebril weer heeft opgezet, laat zich niet zo gauw uit het veld slaan. Na het betoog van de clubleden wendt hij zich tot de kapitein van de Etna en roept: „Leugens, leugens, allemaal leugens. Dat krijg je er nu van als ze op school zoveel over milieu en milieubescherming praten. Die scholieren denken dat ze allemaal Greenpeace zijn en zuigen uit stoerheid de meest fantastische verhalen uit hun duim. Nee, zo gaat dat niet. Het gaat om de bewijzen. Daar gaat het om, om bewijzen," schreeuwt hij.

Hierop vraagt Ed aan de Etna-kapitein of hij even met hem onder vier ogen kan praten. Beide kapiteins gaan de messroom uit. De clubleden houden de twee boeven goed in de gaten. Gelukkig staan Siebe en Gijs als twee schildwachten tussen hen en de mannen in. Minuten verstrijken, dan komen Ed en de Etna-kapitein weer terug.

„Ahum, beste mensen en minder beste mensen," begint Ed. „De kapitein van de Etna en ik zijn tot het volgende besluit gekomen. Het gaat om de bewijzen, zegt Van Kulke. Nou, dat vinden wij ook. Daarom zal de Etna met haar lading onmiddellijk naar Rotterdam varen. Daar zullen de vaten uit West-Duitsland op hun inhoud worden gecontroleerd. Dat zal door de Rotterdamse haveninspectiedienst worden gedaan. Dat zijn dus echte inspecteurs, Van

Kulke en Kraaieman," zegt Ed nadrukkelijk. „Als er geen dioxine in die vaten zit, zal de Sirius geen actie voeren tijdens de verdere dumping. Zit er wel dioxine in de vaten, dan zullen de vaten uiteraard niet in zee verdwijnen en is de Noordzee voor een ramp behoed. Maar jullie en die Schuymer zullen daarentegen wel verdwijnen, maar dan de gevangenis in."

Met een gebrul storten Van Kulke en Kraaieman zich plotseling op de deur van de messroom, in de hoop te kunnen vluchten. Maar achter de deur staan dikke Harald en David opgesteld. Met gemak tillen ze de twee boeven op en brengen hen terug bij de kapitein van de Etna.

De kapitein zegt op strenge toon: „Als kapitein van de Etna heb ik op zee de bevoegdheid van een politiefunctionaris. Ik arresteer u bij dezen. Zodra wij in de Rotterdamse haven arriveren, lever ik u over aan de politie. Door uw vluchtpoging is het bewijs immers al geleverd."

Met gebogen hoofden staren Van Kulke en Kraaieman naar de grond. De arrogantie van Van Kulke is helemaal verdwenen.

Beide kapiteins nemen afscheid van elkaar.

Ed vraagt Harald en Jos samen met Gijs en Siebe de kapitein van de Etna en de twee schurken met de grote rubberboot naar de Etna terug te brengen. Het lijkt hem beter hierbij meer Greenpeace-mensen in te zetten.

Even daarna vertrekt de rubberboot. Door de verrekijker zien de clubleden hoe eerst Van Kulke, daarna Kraaieman en ten slotte de kapitein aan boord van de Etna klimmen. Daar worden de twee boeven opgesloten in een hut.

De Greenpeace-rubberboot keert terug naar de Sirius. Harald, Jos en Siebe klimmen aan boord en Tony daalt met zijn filmcamera en koffer af in de rubberboot. Gijs zal hem zo snel mogelijk afzetten aan het strand bij Hoek van Holland.

„Bye, bye," groet Tony iedereen. „It has been a great pleasure.

Good luck!"

„Dat was dus dat," zegt Siebe lachend tegen de clubleden. „Wel gefeliciteerd met jullie overwinning."

„Onze overwinning?" vraagt Suzan verbaasd. „Dat hebben we toch met z'n allen gedaan?"

„Dat is wel zo," beaamt Ed, „maar jullie waren de hoofdrolspelers. En nu op weg naar huis. Het is al één uur en over twee en een half uur kunnen we bij de sluizen van IJmuiden zijn en dan is het nog eens twee uur varen op het Noordzeekanaal om in Amsterdam aan te komen. Wat verlang ik naar huis. Naar rust, met mijn voeten op tafel naar de televisie kijken."

„En Gijs dan?" vraagt Roy bezorgd. „Die is nog niet terug."

„Beste Roy," legt Siebe uit, „de grote rubberboot kan wel tachtig kilometer per uur varen. Je zult zien dat Gijs binnen een uur weer hier aan boord is."

David takelt de twee kleine rubberboten aan dek en de anderen gaan naar boven, naar de stuurhut. Voor Marco breekt er nog even een drukke tijd aan: hij zal zo spoedig mogelijk contact zoeken met het Greenpeace-kantoor in Amsterdam. Dan kunnen ze de mensen daar op de hoogte brengen van de stand van zaken, zodat Han, Bart en Joke via de telex een persbericht over de ontsnapping en de actie naar de kranten en de omroepen kunnen versturen.

„Je zult zien," zegt Marco tegen Kees, „dat het daarna druk zal worden, want veel journalisten zullen direct contact met de Sirius zoeken om met ons te praten."

„Ed," roept Marco daarna, „ik heb Han van kantoor aan de lijn. Zou je hem even willen nemen?"

Ed stapt naar de boordradio, pakt de hoorn en vertelt Han puntsgewijs over de ontsnapping en de actie. „Dus," zo besluit hij, „zijn Kraaieman en Van Kulke door de Etna-kapitein in de boeien geslagen. De Etna is inmiddels onderweg naar Rotterdam, ons werk zit erop. Han, nu is het jullie beurt. Zorg ervoor dat jullie de havenautoriteiten op de hoogte stellen van de gevaarlijke lading en houd het hele zaakje daar goed in de gaten. Schuymer moet onmiddellijk worden aangehouden. Succes met jullie persbericht. Wij blijven in de stuurhut en zullen, als dat nodig is, de journalisten via de boordradio te woord staan. Oh ja, voor ik het vergeet: Tony is met het filmmateriaal op weg naar Hilversum, naar de NOS. Een beeldverslag van onze avonturen is er dus ook. Tot ziens in Amsterdam. Om ongeveer zeven uur vanavond zullen we weer op onze vertrouwde stek in Amsterdam liggen. Over en sluiten."

HOOFDSTUK 10

Een grootscheepse huldiging

De Sirius vaart op volle kracht richting IJmuiden. Heel in de verte zien de Greenpeace-mensen de Etna langzaam uit het zicht verdwijnen.

„Je hebt gelijk, Siebe," zegt Roy, terwijl hij met zijn vinger naar de kust wijst. „Daar komt Gijs alweer."

Met grote snelheid nadert de oranje rubberboot de Sirius. Langszij gekomen, wordt Gijs met rubberboot en al door David aan boord van de Sirius gehesen.

„Gerustgesteld, Roy?" vraagt Siebe lachend. „De verloren zoon is weer terug."

Tien minuten later staat Gijs bij hen in de stuurhut.

„Ben je nou weer helemaal in orde, Gijs, na die duik van daarstraks in de Noordzee?" vraagt Suzan bezorgd.

„Ja, hoor, meisje, het gaat weer best met me," zegt Gijs vriendelijk.

Maarten kijkt even naar Suzan en denkt: daar moet je nu echt weer een meisje voor zijn om daarover te blijven zeuren. Maar in zijn hart vindt hij het best aardig van haar.

Langzaam verstrijkt de tijd. De zee is zo glad als een spiegel en voor zeeziekte hoeft niemand bang te zijn.

Dan meldt Marco dat de eerste journalist al aan de lijn hangt. Het is iemand van de radio. „Wil jij hem nemen, Ed?" vraagt hij.

„Nee," zegt Ed, „laat Siebe dat maar doen. Ik heb de laatste uren genoeg gepraat."

Voor het eerst in hun leven maken de clubleden een echt interview mee. Het is een live-uitzending, dus Siebe moet het meteen goed doen.

„Hallo, hier de Sirius," zegt Siebe. „Wat wilt u weten? Over."

„Goedemiddag, u spreekt met Marc Reuters van AVRO's radiojournaal. We hebben net een persbericht ontvangen over de ontsnapping en de actie. Kunt u mij vertellen hoe laat en op welke wijze de Sirius is ontsnapt? Over."

Siebe vertelt zo kort en duidelijk mogelijk wanneer en hoe de Sirius de Antwerpse haven heeft verlaten.

„Bent u niet bang voor juridische gevolgen?" vraagt de heer Reuters. „Ik bedoel, ontsnappen mag toch eigenlijk niet? Over."

„Dat is wel zo," antwoordt Siebe. „Maar het bedrijf O.S.N. heeft ons door een valstrik aan de ketting laten leggen, met de bedoeling het de Sirius onmogelijk te maken actie te voeren tegen hun dumpschip. En dat pikken we niet! We komen trouwens om ongeveer vier uur vanmiddag aan bij de sluizen van IJmuiden. We hopen dat veel mensen uit Nederland ons daar zullen opwachten, want een steuntje in de rug hebben we wel nodig. Over."

Er volgen nog een paar vragen en antwoorden over de beschadigingen aan de Sirius, over O.S.N. en de actie tegen de Etna. Marc Reuters besluit het interview met de vraag wat de volgende actie van de Sirius zal zijn.

„De eerstvolgende actie," antwoordt Siebe „is de reparatie van de Sirius en het installeren van een nieuwe mast! Over."

„Ik dank u voor dit gesprek," zegt de journalist. „Over en sluiten."

De arme Siebe krijgt hierna nog veel meer vragen te beantwoorden van andere journalisten. Maar ook Harald en David moeten eraan geloven, want natuurlijk zijn ook Engelse en Duitse journalisten geïnteresseerd in de ontsnapping en de actie. Na een tijdje wordt het wat rustiger.

„Ed," zegt Siebe, „je kunt je rustige avondje wel op je buik schrijven, ik had daarnet Henk de Vries van Veronica's Nieuwslijn aan de lijn. Ze hebben vanavond een uitzending en hij heeft gevraagd of wij om half tien in de studio willen komen. Hij laat ons ophalen met een taxi."

„Ach, Siebe," antwoordt Ed rustig, „het hoort bij ons vak, dus vooruit maar."

De clubleden vragen zich ondertussen af wie Henk de Vries is. De radioverslaggevers kennen ze natuurlijk niet van gezicht, maar de mensen van de televisie wel.

„Ik weet het," zegt Suzan opgewonden. „Dat is die man met dat kuiltje in zijn kin."

En iedereen weet meteen wie Suzan bedoelt.

„IJmuiden in zicht," roept Gijs een hele tijd later.

Langzaam komen de sluizen dichterbij. De Sirius bevindt zich te midden van allerlei vissersschepen en plezierVaartuigen, die het Greenpeace-schip luid toeterend begroeten. Op het dek van de schepen zwaaien mensen geestdriftig naar de bemanning van de Sirius.

„Wat een groots onthaal," zegt Emmy, die inmiddels ook in de stuurhut is gekomen, ontroerd.

„Ja, maar moet je eens op de kade kijken," wijst Marco. Duizenden mensen zwaaien met vlaggetjes en zakdoeken naar de Sirius.

„Nou, Siebe," roept Gijs uit. „Je oproep via de radio is, zo te zien, goed overgekomen."

„We lijken de koningin wel," roept Suzan met vuurrode wangen van opwinding.

Ook de sluiswachters doen hun best de Sirius eer te betuigen, de ene sluisdeur staat al wagenwijd open.

„Geen wachttijden, deze keer," glimlacht Ed.

Als het schip in de sluizen ligt, horen de clubleden de mensen aan de wal roepen: „Bravo, goed gedaan, een applaus voor Greenpeace."

Een NOS-ploeg van het journaal staat met camera's en geluidsapparatuur op de kade. „Kunnen wij even aan boord met de kapitein praten?" roepen ze luid. Daarna klimmen ze over de reling van het schip en interviewen Ed op het dek.

De geluidsman houdt een microfoon onder zijn neus, terwijl met de camera beeldopnamen worden gemaakt.

„En zo," besluit Ed het korte interview, „zijn wij dankzij een zestal oplettende scholieren ontsnapt en hebben we het dumpen van de vaten dioxine kunnen voorkomen."

Op dat moment richt de cameraman zijn toestel op de clubleden, die op het voordek alles met open mond van verbazing volgen.

„Jullie komen vanavond ook op het journaal," grapt Gijs tegen de clubleden. „Maar niet te verwaand worden, hè!"

Dan volgt nog even een spannend moment: enige marechaussees komen aan boord om de bemanningslijst en de paspoorten te controleren. Zij kunnen het de Sirius in verband met de ontsnapping nog behoorlijk moeilijk maken.

„Zo," zegt een van hen tegen Ed, nadat hij de paspoorten heeft bekeken. „Ik mis een zekere Tony. Hij staat wel op de bemanningslijst, maar zijn paspoort zit hier niet bij. En die vijf jongens en dat ene meisje, van hen hebben we al helemaal geen paspoort gekregen. En u bent ook nog eens ontsnapt, terwijl uw schip aan de ketting was gelegd." Hij kijkt Ed schuin aan, dan verschijnt er een glimlachje rond zijn lippen. Hij geeft Ed een hand en zegt: „Gefeliciteerd met dit huzarenstukje. Het is overigens wel tegen alle regels in! U mag doorvaren naar Amsterdam. Dat is dan onze bijdrage aan het werk van Greenpeace."

En zo vaart de Sirius langzaam de sluizen uit, op weg naar Amsterdam, het gejuich achter zich latend.

Langs het Noordzeekanaal rijden de hele weg nog auto's met het schip mee. Binnenvaartuigen en zeilboten toeteren op het moment dat de Sirius passeert.

„Dit is met recht een grootscheepse huldiging," zucht Roy.

„Een geweldige beloning voor een moeilijke klus," zegt Emmy.

„Ja," roepen Kees en Erik uit, „maar dan moet Schuymer nog wel worden opgepakt."

„Dat is waar ook," zegt Wim. Door alle feestvreugde waren ze dat even vergeten.

„Dat is het werk van de Greenpeace-mensen op kantoor," zegt Siebe. „En reken maar dat die ons in Amsterdam opwachten. Dan horen we wel hoe het is afgelopen met Schuymer, Van Kulke Kraaieman en met de Etna."

De tocht op het Noordzeekanaal lijkt veel korter dan twee uur. Veel eerder dan de clubleden willen, komt de Sirius aan in Amsterdam. Ook daar staan op de kade duizenden mensen.

„Daar lopen Han, Joke en Bart," roept Wim uit.

„En daar staat de Greenpeace-bus," wijst Maarten.

„En daar staat een hele zwik journalisten," zucht Gijs.

Zodra de Sirius is afgemeerd, stormen de journalisten aan boord. Alle grote kranten, maar ook veel kleine kranten zijn vertegenwoordigd. Gijs, Siebe en Ed worden door journalisten omringd en vele microfoons worden voor hun monden geduwd. Ze vertellen opnieuw het hele verhaal en wijzen daarbij voortdurend op de clubleden, zodat ook die plotseling vragen moeten beantwoorden.

Eindelijk weten de Greenpeace-mensen van kantoor ook aan boord te komen.

„Hoe is het afgelopen met O.S.N.?" schreeuwen de clubleden nieuwsgierig.

Han geeft een boeiend verslag van de verdere gebeurtenissen. „Toen de Etna in Rotterdam aankwam, werd het schip meteen aan de ketting gelegd. De vaten dioxine en het andere afval zijn van boord gehaald en opgeslagen in een loods."

„Wat hebben ze met de kapitein van de Etna gedaan?" vraagt Erik. „Eigenlijk was dat niet zo'n kwaaie kerel."

„De kapitein," zegt Han, „had te veel lading aan boord. Hij zal daarvoor op zijn minst een waarschuwing krijgen. Hij had die vaten uit Duitsland niet op het laatste moment aan boord mogen nemen. Maar met Van Kulke en Kraaieman loopt het veel slechter af. Nadat de inspectiedienst officieel had geconstateerd dat er dioxine in de vaten zat, zijn ze onmiddellijk door de politie meegenomen. Die zullen wel een zware douw krijgen."

„En Schuymer, die mooie meneer?" vraagt Roy gespannen. „Wat is er met hem gebeurd?"

„Oh," zegt Han, „we hebben eerst de politie in Amsterdam gebeld. Die hebben contact opgenomen met hun collega's in Rotterdam. Schuymer had blijkbaar ook naar de radio geluisterd, want hij had de benen genomen. Maar ongeveer een uur geleden belde iemand van de Amsterdamse politie naar ons kantoor. Schuymer is bij de grens met Duitsland aangehouden. Hij wilde vluchten, de smeerlap. O.S.N. zal dus een nieuwe directeur moeten zoeken."

„Maar dan wel een betere," roepen de clubleden.

„En zo is alles toch nog goed gekomen," besluit Gijs.

„Ja," mompelt Suzan. „Eind goed, al goed." Toch vindt ze het jammer dat het avontuur nu voorbij is. Maar genoeg stof voor een werkstuk heeft ze zeker!

„Kom op," zegt Siebe tegen de clubleden. „Ik breng jullie met de Greenpeace-bus naar huis. Ik denk dat ze bij jullie thuis ook wel nieuwsgierig geworden zijn. Als we opschieten, kunnen jullie op het journaal alles nog eens goed bekijken."

STERSCHIP SIRIUS

De meeste kinderen zullen wel eens van het schip Sirius gehoord hebben: tussen alle activiteiten door is de Sirius regelmatig in haar thuishaven Amsterdam. De naam van het schip verwijst naar de Hondsster, de helderste ster aan de hemel.

Als het beroemde Greenpeace-schip Rainbow Warrior in 1981 naar Newfoundland in Canada vertrekt voor acties tegen de zeehondenjacht, zoekt Greenpeace een nieuw schip voor het campagnewerk in Europa. Dat wordt de in 1950 gebouwde Sirius, een loodsboot van 46 meter lang en ruim 8 meter breed, die met een snelheid van 13 knopen kan varen. Met behulp van vele vrijwilligers lukt het in slechts 10 weken de loodsboot om te bouwen tot een echt Greenpeace-actieschip. Ook bij latere reparaties en verbeteringen is de hulp van vrijwilligers onmisbaar.

In 1985 krijgt de Sirius een nieuwe kraan, die rubberboten snel in en uit het water kan takelen.

In 1986 komt er een satellietcommunicatiesysteem aan boord, zodat de bemanning van de Sirius snel in contact kan komen met Greenpeace-kantoren overal ter wereld.

In de zomer van 1981 verlaat de Sirius de Amsterdamse haven voor haar eerste campagne: een actie tegen het Britse dumpschip Gem, dat op weg is om radioactieve rommel te storten in de Atlantische Oceaan.

In de jaren die volgen, is de Sirius op vele plaatsen in Europa actief: in Scandinavië en Frankrijk tegen het transport van atoomafval en in Noorwegen tegen de jacht op zeehonden.

In 1985 is Greenpeace op de Westerschelde om te protesteren tegen het dumpen van chemisch afval.

Na spannende acties tegen de dumpschepen Falco en Wadsy Tanker wordt de Sirius door de eigenaar van de dumpschepen in de haven van Antwerpen aan de ketting gelegd. Maar Greenpeace wil haar schip natuurlijk zo snel mogelijk terug. Terwijl er eigenlijk gewacht moet worden op een beslissing van de rechter, besluit Greenpeace, van alle kanten gesteund, de Sirius te laten ontsnappen. Het schip is immers onmisbaar bij de acties! Op een vroege zondagochtend in juni 1985 ontsnapt de Sirius uit de Antwerpse haven. Omdat de bruggen in het Rijn-Scheldekanaal te laag zijn, heeft de bemanning van de Sirius 's nachts stiekem de mast van het schip afgezaagd. De Belgische minister van volksgezondheid en leefmilieu beslist overigens dat er na 1989 geen chemisch afval meer mag worden geloosd.

Vanaf 1986 bezoekt de Sirius bijna elk jaar de Middellandse Zee om te protesteren tegen de vervuiling van deze zee die er weliswaar prachtig blauw uitziet, maar erg vuil is. Verder voert het schip actie tegen vissersschepen die veel te veel vis vangen en vaak drijfnetten gebruiken. Vooral de tonijnvissers maken gebruik van deze kilometerslange netten die vlak onder het wateroppervlak drijven en vrijwel onzichtbaar zijn. Niet alleen de tonijn komt in de drijfnetten terecht, ook duizenden zeeschildpadden, dolfijnen en zelfs vogels raken erin verstrikt, omdat ze de netten niet zien. Deze dieren hebben zuurstof nodig om te blijven leven; als ze in drijfnetten blijven vastzitten, verdrinken ze langzaam.

De Sirius is ook dikwijls te vinden op de Ierse Zee, waar het schip protesteert tegen de beruchte atoomopwerkingsfabriek in het Engelse plaatsje Sellafield. In Sellafield wordt brandstof voor kerncentrales verzameld in grote silo's. Er komt veel radioactiviteit vrij op het terrein van Sellafield, en de Ierse Zee is dan ook de radioactiefste zee ter wereld. Bij de acties tegen Sellafield in 1987 en 1988 worden enkele Greenpeace-actievoerders gearresteerd en twee Nederlandse actievoerders belanden zelfs voor een tijdje in een Engelse cel.

Naast haar taak als actieschip, wordt de Sirius in heel Europa gebruikt om voorlichting over het milieu te geven. Van IJsland tot Italië maken duizenden mensen op open dagen kennis met het schip en Greenpeace.

De Sirius, Greenpeace-actieschip voor Europa.
© foto: Greenpeace/Dorreboom

1981-Bemanningsleden van de Sirius in actie tegen het dumpschip Gem. Op de reling van de Gem zie je een ton met radioactief afval.
© foto: Greenpeace

De Sirius bij de nucleaire fabriek Sellafield in Engeland. Vanaf het schip worden ballonnen opgelaten.
© foto: Greenpeace/Morgan

Bij het actievoeren zijn de kleine, snelle rubberbootjes onmisbaar.
© foto: Greenpeace/Dorreboom

Overal in Europa komen mensen op open dagen de Sirius bezoeken. Hier is het schip in het Spaanse Alicante.
© foto: Greenpeace

Over de auteur

Op een dag stapte meneer Kluitman het kantoor van Greenpeace Nederland binnen. Hij vroeg de medewerkers van Greenpeace of zij hun avonturen wilden opschrijven. Dat vond iedereen een goed idee en op die dag werd dan ook Rob Zadel geboren. De auteur van 'De Sirius ontsnapt' en 'De Rainbow Warrior valt aan' is de man die onder dit pseudoniem de spits mocht afbijten. Zijn echte naam is geheim. In elk geval werkt hij al heel lang voor Greenpeace Nederland.

De verhalen in de boeken zijn op ware gebeurtenissen gebaseerd. Natuurlijk komt er hier en daar ook wat fantasie aan te pas. Soms is de schrijver zelf betrokken geweest bij de avonturen die hij beschrijft.

Er zullen meer boeken van Rob Zadel verschijnen in deze serie. Maar dat wil niet zeggen dat het altijd dezelfde persoon is, die ze zal schrijven. Er zijn meer mensen bij Greenpeace die avonturen hebben beleefd en daarover willen schrijven. Daarom is Rob Zadel een pseudoniem. Als een zadelrob duikt hij telkens weer op; nu eens in die gedaante dan weer in een andere.

Maar één ding zal nooit veranderen: de verhalen blijven spannend, en dat moet ook, anders lezen jullie ze niet meer. En dat zou jammer zijn!

Met vriendelijke groet,

Rob Zadel

INHOUD

Wil je nog meer mooie en spannende boeken lezen?
Kijk dan eens naar de onderrstaande titels

Tjalling van der Duin	Op het spoor van de cheetah
B. Jager	Reinoud van Nimwegen:
	Het zwaaard van ridder Roeland
	Een zwarte gedaante
	De Wolvenman
	De lok van Ylonka
	De weg naar Titicaca.
	De verovering van het incarijk
	De Witte Condor.
	Opstand in het incarijk
	Gevangene van het verleden
	De sleutel van Magister Moria
Rob Zadel	Greenpeace in actie:
	De Sirius ontsnapt
	De Rainbow Warrior valt aan
	De Solo grijpt in
	OORLOGSBOEKEN:
B. Dubbelboer	Geheim verzet
Ad van Gils	De Vos van de Biesbosch:
	Een verzetsgroep in actie
	Jacht op een verrader
	Terug in bezet gebied